VIVA COMO VOCÊ QUER VIVER

Caro leitor,

Queremos saber sua opinião sobre nossos livros.
Após sua leitura, acesse nosso *site* (www.editoragente.com.br), cadastre-se e contribua com suas sugestões, críticas e elogios.

Boa leitura!

Eduardo Shinyashiki

VIVA COMO VOCÊ QUER VIVER

5 PASSOS PARA A REALIZAÇÃO

Gente editora

Editora
Rosely M. Boschini

Coordenação editorial
Elvira Gago

Produção gráfica
Marcelo S. Almeida

Capa e Projeto gráfico
Avalanche Comunicação

Diagramação
Join Bureau

Copidesque
Regina Giannetti

Preparação
Maria Alayde Carvalho

Revisão
Cristina Paixão Lopes

Rua Pedro Soares de Almeida, 114
São Paulo, SP, CEP 05029-030
Tel.: (11) 3670-2500
Site: http://www.editoragente.com.br
E-mail: gente@editoragente.com.br

Dados Internacionais de Catalogação na Publicação (CIP)
(Câmara Brasileira do Livro, SP, Brasil)

Shinyashiki, Eduardo

Viva como você quer viver / Eduardo Shinyashiki. – São Paulo : Editora Gente, 2004.

ISBN 978-85-7312-432-3

1. Motivação (Psicologia) 2. Mudança (Psicologia) I. Título.

04-5228 CDD-158

Índices para catálogo sistemático:

1. Motivação : Conduta de vida : Psicologia aplicada 158

A meus pais, Paulo e Benedita, com muita saudade. Sempre presentes em meu coração, eles me ensinaram a caminhar pela vida com coragem, honestidade e, acima de tudo, com fé em Deus.

A minhas filhas, Caroline e Stella, que são a luz que me faz acreditar no amanhã e deixam meu coração permanentemente sorrindo.

A minha esposa, Daniela, que com amor, compreensão e doce presença compartilha minha vida pessoal e profissional. Juntos empreendemos uma viagem inesquecível.

AGRADECIMENTOS

Com amor e profunda admiração, agradeço a minha irmã, Rosely, pela força, incentivo e apoio na realização deste livro e pela presença única e especial em minha vida. A meu irmão Roberto pela sabedoria e preciosa orientação e a meu irmão Gilberto pelo exemplo de dedicação e comprometimento.

Uma homenagem sincera a Elvira Gago, Regina Giannetti e à equipe da Editora Gente, que me orientaram e acompanharam de forma impecável, com preciosos conselhos e sugestões.

Meus agradecimentos e amor profundo aos mestres-colaboradores-amigos Akira Yano, Annalisa Risoli, Bernadete Parizotto, Cleonice Cavalcante de Lima, Conceição Resende Biondi, Edna Jacobus, Elaine Almeida, Eliana Gouvêa Gama, Fredy Lobo Monteiro, Hilda Queiroz, Inez Palmeira, Madalena Romanelli, Marcia Lech, Marco Guimarães, Maria Aparecida das Dores Araujo, Mario Rebecchi, Myrthes Gonzalez, Octavio Rivas Solis, Rosete Alves, Sonia Sanazzaro, Teresa Ribeiro, Tereza Rachel Guerreiro Bogado, Tomoko Miura, Xênnia Florido Miglioli, Zélia Villarinho, Zunara Lyra, pela amizade, apoio, confiança e por compartilharmos uma realidade de amor, comunhão, crescimento e realização.

A todos cuja amizade me conforta e me aquece o coração, que sempre me mostraram quanto o milagre da amizade é grande e forte, além dos limites do tempo e do espaço.

A todos que buscam com coragem a essência mais profunda da existência e a evolução como seres humanos.

SUMÁRIO

Estamos no limite de tudo quanto é grande.
Confie em si mesmo.
Reinvidique sua parte na grandeza da vida.
Renda-se ao poder que há dentro de você.
Atreva-se a tornar-se o senhor de seu destino.

Ralph Waldo Emerson

INTRODUÇÃO

CINCO PASSOS PARA ASSUMIR O COMANDO DA SUA VIDA

Carta fora do baralho, zero à esquerda, peixe fora d'água, desorientado como um barquinho à deriva no oceano... A língua portuguesa é rica em expressões que definem o indivíduo deslocado e sem poder de decisão sobre a própria vida.

Nessa situação, parece haver uma distância enorme entre o que se deseja para a própria existência e o que se é capaz de pôr em prática. Esse conflito faz do cotidiano uma eterna queda-de-braço entre o desejo e a capacidade de realização.

Conheço várias pessoas que acordam todo dia com a sensação de que vão promover uma grande mudança em sua vida, no entanto nunca conseguem fazê-la. São pessoas talentosas, mas que não se realizam. Criativas, porém reprimidas. Produtivas, mas insatisfeitas. Pessoas que estão sempre às vésperas de conseguir dar forma a seus sonhos até que surge algum obstáculo. Elas se sentem como o piloto de corrida que sai na *pole position*, mas perde a prova porque o carro falhou. Ficam, assim, com a sensação de que, toda vez que as coisas parecem entrar nos eixos, surge um grande azar que estraga tudo.

Viver com a impressão de que os sonhos jamais vão se realizar só serve para alimentar o receio de levar adiante um propósito de vida. É como dar um passo à frente e dois atrás – sintoma de que o medo está ditando as regras. E, quando a gente se rende ao medo, fica dias, meses ou anos calculando os riscos de uma atitude ousada, de mudar de emprego, de pôr em jogo uma posição consolidada, de cantar, de morar na praia, de dançar, de atingir o sucesso...

Evitamos, então, falar dos sonhos arquivados e dos projetos que não se concretizaram para não ressuscitar emoções conflitantes. E, para sepultar de vez o assunto, dizemos que o mundo é dos vitoriosos. Fazemos um jogo de esconde-esconde: fingimos estar bem e os outros fingem acreditar nisso. E, o que é ainda pior, fingimos para nós mesmos que está tudo bem e nos convencemos a acreditar nisso.

VOCÊ CONHECE ALGUÉM ASSIM, NÃO É MESMO?

TODOS CONHECEMOS VÁRIAS PESSOAS ASSIM.

O QUE FAZ A GENTE SE TORNAR UM RASCUNHO DE SI MESMO?

O fato é que, ao não nos darmos conta de que somos os supremos criadores de nossa vida, nós nos tornamos prisioneiros do medo e passamos a viver oprimidos por limitações e cercados por problemas.

Apesar de tudo isso, porém, parece haver sempre uma voz interior que reclama atenção e pede uma revisão do rumo da vida. Às vezes essa voz chega a ser tão fraca que é fácil ignorá-la. Mas, de um modo ou de outro, ela está sempre presente.

Você ouve essa voz que pede mudanças? Preste atenção nela, pois é um sinal de vida fortíssimo. Sinal de que seus desejos querem romper o confinamento que foi imposto a eles há tanto tempo. Sinal de que é preciso descobrir um ponto de equilíbrio, uma nova maneira de lidar com as emoções e os pensamentos para viver em harmonia.

Se você se sente assim, eu o convido a trilhar o caminho da descoberta de sua dimensão espiritual, o caminho que o levará a ser o criador dos resultados que deseja para si mesmo. Proponho, neste livro, cinco passos para você assumir o comando de sua vida. Mais que passos, são pontos para que possamos refletir sobre o que somos, sobre o que vivemos e sobre o que queremos para nossa vida e nos oferecem a oportunidade de pensar e procurar, com força e profundidade, as respostas para as perguntas cruciais da nossa existência.

O primeiro deles é fazer uma revisão de sua vida atual, dando espaço para o resgate de antigos sonhos. É o início da retomada da vida que se quer viver. Perguntas como "o que eu gostaria de estar fazendo, onde e com quem?" o ajudam a identificar seus anseios.

O segundo passo é cercar-se das ferramentas necessárias à realização do seu projeto de vida. O que é preciso para atingir o objetivo proposto? Pode ser um curso de especialização ou de idiomas, a orientação de um colega no trabalho para a conclusão de algum projeto ou ainda uma conversa franca com sua mulher ou seu marido; o que importa aqui é a postura de humildade para reconhecer alguma deficiência e pedir ajuda.

O terceiro passo é assumir a condição de criador do seu destino. É o que chamo de viver a dimensão do criador, e não da criatura. Como criadora, a pessoa se engaja ativamente na busca dos resultados que quer alcançar e deixa de culpar os outros pelo que acontece ou deixa de acontecer em sua vida.

O quarto passo trata da necessidade de assumir um compromisso verdadeiro com o que você deseja viver e ter atitudes coerentes com seus objetivos. Esse é um passo essencial na busca da realização. Quando você se dispõe a cumprir seus compromissos, sem se desviar do caminho que escolheu, sua integridade sai fortalecida.

Finalmente, o quinto passo – a negociação do percurso, não do sonho – mostra a importância de fazer ajustes ao longo do caminho. Um ditado chinês diz que não podemos mudar os ventos, mas podemos ajustar as velas. Um dos segredos da realização é ser flexível consigo mesmo e com a vida, sem perder o foco do que é realmente importante.

A partir do momento em que você adquire a consciência de sua dimensão espiritual, torna-se realmente responsável pela criação do sucesso e do fracasso, da alegria e da tristeza, da harmonia e do conflito em sua vida. Quanto mais cedo você descobrir qual é seu propósito na vida, mais rapidamente exercerá o genuíno poder de criar os resultados que deseja – com felicidade, amor e alegria.

ACREDITE: VOCÊ É ÚNICO.
E É MUITO MAIS DO QUE PENSA QUE É.

QUEM É VOCÊ?

*Este capítulo é uma preparação
para os cinco passos que o levarão à criação dos resultados
que você deseja. Nele você verá que assumimos a
aceitação dos outros como referência de sucesso em nossa vida.
Ao fazer isso, porém, tornamo-nos reféns dos
acontecimentos externos e das vontades alheias para atingir
nossos objetivos, o que esvazia nosso poder criador.*

Todos nós crescemos com modelos de sucesso. Desde pequenos, ouvimos coisas do tipo: *Siga o exemplo de seu pai, que começou a trabalhar ainda jovem; Seja responsável como fulano; Estude bastante para tirar notas boas como as de sua colega.*

Em princípio, adotar modelos é uma atitude positiva que nos permite escolher e seguir metas na vida. Mas se espera que, ao conquistar determinado grau de autoconhecimento e de vivência, possamos construir uma identidade própria, ou seja, possamos nos distinguir dos modelos que vínhamos seguindo.

Infelizmente, porém, muitos continuam apegados aos modelos e os assumem como se fossem a única maneira de viver o amor, a profissão, os filhos – tudo, enfim. Isso acontece porque, para essas pessoas, a idéia de se espelhar nos outros está de tal modo incorporada ao comportamento que o conceito de sucesso se relaciona ao fato de se tornar iguais a fulano ou atingir tal resultado. E por que fazem isso? Porque têm sede de reconhecimento e amor. Inconscientemente, acham que, se não copiarem seus modelos de sucesso, não serão aceitas.

Mas há um problema: ao basear sua identidade e sua vida em referências externas – os outros –, as pessoas acabam criando uma série de dificuldades para si mesmas, afastando-se de tudo aquilo que são e que as faz felizes. Essa idéia de "ser iguais a alguém", na verdade, só as distancia cada vez mais da auto-aceitação e do reconhecimento das próprias qualidades.

Vamos supor que uma moça adote como modelo determinada atriz de televisão. Ao fazer isso, ela baseia seu conceito de sucesso no fascínio, no brilho e na beleza da atriz. Mas, quando a moça se olha no espelho e apenas se compara a seu modelo, deixa de reconhecer o próprio brilho, sua graça, suas qualidades. Ela pode, inclusive, ficar terrivelmente frustrada por julgar-se menos interessante que a atriz, o que certamente afetará sua auto-estima.

Para um homem que adota o modelo do executivo bem-sucedido, do tipo que vive em evidência na mídia, o conceito de sucesso são o reconhecimento e o *status* desse executivo. Esse homem procura construir a carreira tal como fez seu modelo, mas deixa de buscar a realização profissional a seu modo. E, quando compara seus resultados profissionais com os do executivo, pode ficar muito decepcionado consigo mesmo.

Perceba, por esses dois exemplos, que é muito fácil um ideal de sucesso levar ao sentimento de fracasso, e esse é o principal problema que o apego aos modelos traz para nossa vida. A partir daí, há um desdobramento de conflitos que nos levam a negar, cada vez mais, quem somos e o que realmente desejamos.

Do modelo a seu oposto

O medo do fracasso também pode nos induzir a criar uma realidade oposta ao que gostaríamos de viver. Digamos que um garoto cujo pai é desinibido e brincalhão, o melhor contador de piadas da festa, assuma como referência de sucesso o comportamento paterno. Como ele não consegue ser tão divertido e simpático quanto o pai, pode se considerar tímido. Ao reforçar as posturas de timidez, o menino cria uma realidade segura e confortável para si mesmo na qual se desobriga da necessidade de ter contato com os outros, de ser comunicativo. Conforme cresce, vai concebendo um universo que espelha exatamente o tímido que diz ser e cujos resultados são sempre os de uma pessoa tímida. O modelo de extroversão que teve um dia e constatou não poder atingir é sistematicamente combatido, e ele se distancia de tal modo de seu ideal – em termos de atitudes, ambiente, comportamento – que se torna exatamente o oposto, ou seja, uma pessoa introvertida.

Pelo mesmo motivo, a moça que não consegue ser como a atriz bonita e *sexy* começa a vestir-se de maneira despojada. Como não se sente aceita pela "tribo" que cultua a atriz, procura a aceitação dos que contestam os modelos de beleza estabelecidos – não por opção, mas por necessidade de incluir-se num grupo. A moça descobre que é mais fácil ser a antítese da atriz do que se parecer com ela e passa a sentir-se reconhecida por refletir exatamente o oposto daquilo que um dia quis ser.

Há, inclusive, quem deturpe seu comportamento e comece a viver a vida muito negativamente para obter alguma forma de reconhecimento. Gosto de citar uma frase da terapeuta norte-americana Muriel James que traduz bem isso: *Um beijo é melhor do que um tapa, mas um tapa é melhor do que nada.*

Um bom exemplo da forma como esse princípio funciona é o da criança carente da atenção dos pais. Um dia, revoltada, essa criança derruba o prato de comida. Quando todo mundo a olha, ela percebe que chamou a atenção por ter derrubado o prato e, a partir daí, começa a fazer outros tipos de estrago para ser notada. É pelo mesmo princípio que surge o aluno indisciplinado, que fica tão conhecido quanto aquele que tem bom comportamento, ou o filho bagunceiro, que se destaca tanto quanto o pai organizado. Enfim, surge a pessoa reconhecida não pela aprovação, mas pela crítica.

Outros descobrem uma forma de reconhecimento pelo sofrimento. Por isso é que existe a criança doentinha. Quando está bem de saúde, ninguém presta atenção nela, mas se ficar doente passa a receber todo tipo de estímulo. Essa criança então pensa: *É bom ficar doente.* E a doença começa a fazer parte de sua vida para torná-la merecedora de toda a atenção de que necessita.

Auto-sabotagem

Outra conseqüência da aversão ao fracasso são os diálogos internos negativos, uma desculpa qualquer que adotamos para estabelecer a auto-sabotagem e para fugir ao confronto com nossas dificuldades de ser ou agir como os modelos que elegemos.

Um bom exemplo é o da pessoa convidada para dar uma palestra. Com medo de parecer inadequada, de não atender às expectativas ou de passar por algum vexame, essa pessoa cria uma desculpa do tipo: *Adoraria dar a palestra, mas tenho dificuldade de falar em público...* Ora, essa não é uma justificativa para se recusar a dar a palestra. Ninguém nasce pronto para falar em público. Qualquer pessoa na frente de cem, quinhentos, mil ouvintes terá de superar diversas dificuldades para se dirigir à platéia, mas isso não pode servir de desculpa para não enfrentar o risco do fracasso.

Chegamos até a provocar doenças e impedimentos físicos para escapar das circunstâncias que mais tememos. Quem não teve uma tremenda dor de barriga antes de enfrentar um grande desafio, um teste na escola ou uma entrevista de emprego? Eu mesmo vivi uma situação que ilustra bem isso. Certa vez fui convidado a falar num congresso ao lado de Otávio Rivas e de Carlos Aloísio, dois professores a quem admiro muito. Era algo tão honroso, tão maravilhoso, e ao mesmo tempo tão amedrontador, que eu perdi a voz. Que coincidência, perder a voz bem às vésperas de me expor ao lado de profissionais tão talentosos! É óbvio que eu tinha receio de não estar à altura dos dois. Bem, um dia antes do congresso, Otávio conversou comigo. Disse que eu não tinha de ser igual a ninguém e mostrou-me que era especial por mim mesmo. Depois disso, como num passe de mágica, minha voz voltou.

As estratégias que as pessoas desenvolvem para ser reconhecidas de algum modo sustentam-se vida afora e reproduzem-se nas mais diversas situações da existência – no trabalho, nos relacionamentos, no amor. A garotinha torna-se uma boa moça para ser aceita pelo pai, pois, se for desobediente, ele não a aceitará, não a porá no colo nem a amará. Ser boazinha passa a ser a sua verdade, e ela deixa de falar aquele "não" que deseja dizer. Mais tarde, a moça trabalha com um chefe que pede coisas e mais coisas – e ela faz, porque não sabe negar nada.

Outro exemplo é o do jovem que se torna rebelde para se auto-afirmar perante os amigos. A partir daí, começa a desafiar toda pessoa que represente o papel de autoridade – o pai, o professor, o patrão, o policial – e cria muitos conflitos em sua vida. Há, por outro lado, o jovem que segue a profissão dos pais sem questionar se é isso que realmente quer, só para continuar a tradição da família.

Essa idéia de "me ame e me aceite" é um convite para viver a verdade dos outros e aceitá-la como se fosse o próprio ideal.

Muita gente segue o modelo da estrela, do executivo, do tímido ou do rebelde porque acredita que precisa ser assim. Desde o momento em que começamos a "comprar" essa "verdade", passamos o resto da vida sendo o que não somos.

Ao assumir uma identidade que não é a sua, a pessoa perde a referência do que é e do que deseja verdadeiramente. Passa a violentar-se. Começa a fazer o que lhe traz algum ganho, e não o que lhe dá prazer. Age para atender as expectativas do outro, não as próprias. Diz uma coisa quando gostaria de dizer outra. Faz tudo em razão das referências externas, mas nada por si própria. Acha que é amada pelo que faz, e não pelo que é.

Infelizmente, o que mais encontramos são pessoas que se limitam a ser uma cópia de seus modelos de sucesso. E, ainda que sejam bem-sucedidas, não conseguem sentir-se completamente felizes, porque não sabem quem são. As soluções só surgem no momento em que a pessoa passa a discernir o que serve para a própria vida e a descobrir o seu modo de ser, criando os resultados desejados.

É isso que você começará a fazer a partir de agora.

1º PASSO

O RESGATE DOS SEUS SONHOS

Esse é o início da jornada para tornar-se o senhor do seu destino. Você terá de resistir à tentação de responsabilizar os outros pelo que lhe acontece, ser muito honesto consigo mesmo e investigar, no porão dos sonhos e das vontades esquecidas, o que gostaria de estar vivendo. Para pôr em prática seu propósito, será preciso manter uma atitude coerente com a vida que você escolher viver.

Até aqui vimos como as pessoas se distanciam daquilo que verdadeiramente são e do que querem **viver** ao seguir determinados modelos. Mas como saber se está sendo você mesmo ou se está apegado a modelos de sucesso? **É simples**. É só verificar se você se sente feliz. Você pode ganhar muito dinheiro, ter o emprego que sempre sonhou, mas não se sentir satisfeito por diversos motivos – porque gostaria de conviver mais com a família, porque não aprecia fazer algumas coisas que a situação atual lhe exige ou ainda porque não vive onde nem como gostaria de viver. É preciso ser muito honesto consigo mesmo, pois é o grau de satisfação com sua vida que lhe dará essa resposta.

Não é fácil, porém, ser honesto consigo mesmo quando existe a tendência de atribuir a causa dos problemas aos outros. Isso faz com que a insatisfação se dirija ao que está além da pessoa, e não ao que está em seu interior. Ela culpa o chefe, o marido ou a mulher, o filho, o governo e começa a se distanciar cada vez mais de si mesma, do que está fazendo ou deixando de fazer para criar a realidade desejada.

Portanto, antes que você se empenhe na descoberta do que realmente quer para sua vida, precisa tomar duas atitudes. A primeira é parar de criar justificativas para explicar seu modo de viver. Então, sim, você poderá olhar com honestidade para si próprio. Compreenda que a causa de sua insatisfação não está nos outros, e sim em você mesmo, naquilo que é ou faz.

A segunda atitude é comprometer-se realmente com a busca de soluções para sua vida. Não basta tentar; **é** preciso fazer. Há muita gente tentando **ser feliz**, tentando ter sucesso, tentando isso ou aquilo, mas uma tentativa não é um compromisso de realizar alguma coisa. Imagine que você está sendo levado para uma cirurgia de emergência e, na porta do centro cirúrgico, encontra o médico que vai operá-lo. Aflito, você pergunta: *Doutor, vai dar tudo certo?* E ele responde: *Vamos tentar.* Como você se sentiria?

Se, por exemplo, você reconhece que não pode culpar o parceiro por seu casamento infeliz (primeira atitude) e está comprometido com a busca da causa dos problemas conjugais (segunda atitude), deve perguntar a si mesmo: *O que estou fazendo ou deixando de fazer para que esse casamento dê certo?* Essa pergunta não tem como objetivo apontar culpados nem obrigá-lo a carregar todos os fardos da existência, e sim fazer com que você ponha em prática seu poder de viver aquilo que escolheu – e suas respostas lhe darão bons indícios disso.

Como você gostaria de viver?

Uma vez que compreenda que a causa dos problemas não está nos outros, e sim em si mesmo, e que assuma o compromisso de encontrá-la, você estará pronto para fazer o seguinte questionamento:

SE NADA NEM NINGUÉM
ME IMPEDISSE, QUE REALIDADE EU GOSTARIA
DE ESTAR VIVENDO HOJE?

ESTOU VIVENDO ONDE EU GOSTARIA DE VIVER?

ESTOU VIVENDO COM QUEM EU GOSTARIA DE VIVER?

ESTOU FAZENDO O QUE EU GOSTARIA DE FAZER?

Com base nessas perguntas, podem manifestar-se desejos que você nem imagina possuir, como, por exemplo, viver em um lugar completamente diferente do local onde você vive hoje. E então você pode fazer-se outra pergunta: *O que me impede de mudar de cidade?*, que, por sua vez, o leva a novos questionamentos.

Às vezes, as pessoas têm o *insight* de mudar tudo na vida, mas não têm a coragem – eu diria mesmo a dignidade – de pôr essa idéia em prática. *Coragem é a dignidade sob pressão*, definiu uma amiga minha certa vez. Quando a pessoa chega a uma situação-limite que fere seu senso de dignidade, toma uma atitude de coragem e rompe com essa situação.

Certa ocasião ouvi um médico neurologista contar um episódio que é um bom exemplo de atitude corajosa. Ele cuidava de um senhor de meia-idade que sofria de enxaqueca crônica. O neurologista não identificava nenhuma causa orgânica da dor de cabeça, mas suspeitava que um grave conflito emocional estivesse ligado ao sintoma. Decidido a descobrir esse conflito, perguntou ao paciente o que ele mais gostava de fazer. *Ah, eu gosto muito de cozinhar; se pudesse, abriria um pequeno restaurante com minha família*, respondeu o paciente. Questionado pelo médico sobre o motivo que o impedia de abrir o restaurante, o homem alegou que havia vinte anos trabalhava numa fábrica, pois tinha de sustentar a família. *Mas você gosta do que faz?*, perguntou o doutor. *Não, não gosto. Odeio o que faço*, respondeu o paciente.

Depois dessa conversa, ele não voltou mais ao consultório até que, três meses mais tarde, apresentou-se com uma sacola cheia de peixes para presentear o médico. *Eu me mudei para outra cidade e abri um restaurante especializado em peixes*, disse o ex-paciente. *E a dor de cabeça, está melhor?*, quis saber o médico. Com um sorriso, o homem respondeu: *O senhor sabe que, depois daquela conversa que tivemos, a dor de cabeça nunca mais voltou? Naquele dia cheguei em casa e me perguntei por que não abria um restaurante. Resolvi pedir demissão da fábrica e, com o dinheiro da rescisão, montei meu negócio. Hoje vivo feliz, fazendo o que mais gosto.*

A conversa com o médico fez com que esse homem se desse conta de que nada o impedia de realizar seu sonho. Há gente que, depois de um *insight* como esse, muda toda a sua **vida** e encontra a realização. Mas há também quem tenha uma grande sacada e leve a vida inteira para segui-la. Passa por uma série de sofrimentos, leva anos e anos para um belo dia reconhecer: *Aquela era a grande sacada da minha vida. Por que demorei tanto tempo para perceber?*

O momento da grande **transformação** é justamente aquele em que a pessoa pode parar tudo e se perguntar o que gostaria de fazer, com quem e em que lugar.

Certa vez, quando eu estava na Índia, alguém me perguntou: *Já que você viveu em tantos lugares, onde gostaria de morar agora?* Respondi que o melhor lugar **para** viver era exatamente onde eu estava, pois aquele era o lugar de ser feliz, encontrar amigos e **realizar** meus sonhos. Se eu estava lá, era porque escolhera estar. Eu estava vivendo onde queria.

Às vezes, a sacada nasce da pergunta: *Estou vivendo com quem quero?* A resposta a esse questionamento pode levar a intensas mudanças de vida.

Talvez você até já esteja vivendo onde quer e com quem deseja compartilhar seus dias. Talvez falte apenas fazer o que quer. E uma boa forma de descobrir **seu propósito** de vida é resgatar antigos sonhos.

O QUE ACONTECEU COM SEU SONHO?

O que você sonhava ser ou fazer quando era criança ou jovem? A resposta a essa pergunta pode lhe dar alguma pista.

É pena que, para alguns, falar de sonhos nem sempre seja fácil. Há quem se conforme com uma situação limitante **e** não se permita sonhar. É o caso da pessoa que nasce pobre e acha que vai morrer pobre, pois não tem perspectiva de mudança. Deixa de sonhar com uma vida melhor porque não acredita que o sonho seja possível.

Quem não se dá a chance de realizar **seus sonhos** não está vivendo; está apenas sobrevivendo. É como se existisse para o mundo, e não para si mesmo. Mas ter levado uma vida de sacrifícios, em que foi preciso começar a trabalhar cedo para ajudar os pais, não é desculpa para não se comprometer com a auto-realização, a felicidade e o amor. Ao contrário: torna qualquer história de vida ainda mais bonita.

A QUALQUER MOMENTO, A PESSOA PODE PARAR TUDO E ESCOLHER VIVER O SEU SONHO.

Costumo dizer que **nossa vida** tem três compartimentos. O primeiro é o das coisas possíveis, o segundo, o das coisas impossíveis para todos e o terceiro, o das coisas impossíveis para nós. Vejo muita gente que leva a vida com o terceiro compartimento muito cheio. São pessoas que vêem o sucesso dos outros e pensam assim: *Ah, mas fulano pode. Pena que para mim isso seja impossível.* Quem pensa assim torna-se o maior obstáculo para si mesmo, pois viver é a arte de transferir os sonhos do terceiro para o primeiro compartimento.

Outro motivo que impede as pessoas de sonhar e de buscar a realização **é** a acomodação. Um bom exemplo é **o** do jovem que acredita ser mais fácil e seguro seguir a profissão dos pais, trilhando um **caminho** já aberto e preparado para ele. Pessoas acomodadas normalmente esperam que os outros realizem seus desejos, como o jovem que diz à namorada *Venha me fazer feliz*, ou o filho que acha ser obrigação dos pais encontrar um bom emprego para ele.

Quem se acomoda talvez tenha uma existência muito confortável, mas está sujeito a acontecimentos que podem abalar toda a estrutura de sua vida, obrigando-o a recomeçar e a encontrar sua verdade. Essa é a situação da mulher que vive um casamento morno e, de repente, se vê abandonada pelo marido. Essa pode ser uma grande surpresa para ela, mas, na realidade, as coisas não andavam bem já havia muito tempo e ela simplesmente não queria enxergar.

Certa vez, uma mulher cujo marido pedira a separação veio fazer um trabalho comigo. No início, ela estava muito deprimida com a situação, mas, passado algum tempo, reconheceu que se distanciara muito de si mesma, desvalorizando-se. Um dia, ela me contou que, se o marido não tivesse feito o que fez, ela jamais teria parado para questionar sua vida. No final da história, o casal reatou a união e ela me disse, muito satisfeita: *Agora temos um casamento de duas pessoas – não apenas de uma, como era antes.*

É fantástico que chacoalhadas como essa ocorram na vida das pessoas para que, só assim, elas possam reencontrar-se. Infelizmente, para algumas isso não acontece, e elas se acomodam, vivendo como se a vida fosse assim mesmo – nem boa nem má. Quantos profissionais talentosos estão encostados num emprego que julgam seguro, vivendo numa falsa zona de conforto, até que, um dia, o chefe se aproxima e lhes diz que está "disponibilizando" seu talento para o mercado.

TODA CRISE TRAZ UMA GRANDE OPORTUNIDADE DE TRANSFORMAÇÃO, UMA CHANCE DE MUDAR A VIDA PARA MELHOR.

São muitas as histórias de gente que soube aproveitar a oportunidade de uma crise para obter resultados de sucesso. Conheço um jovem que concluiu a faculdade de Engenharia Química e, como todos os recém-formados, saiu em busca de um emprego seguro. Ele encontrou uma colocação numa grande empresa, onde trabalhou por alguns anos. Certo dia, inesperadamente, o demitiram – isto é, "disponibilizaram" o talento dele para o mercado.

Depois de uma fase de choque, em que se sentiu muito perdido, ele partiu para a luta. Como estava muito difícil encontrar outro emprego, buscou alternativas. Resolveu ser professor e alugou uma sala para dar aulas de reforço a pré-vestibulandos. Começou com uma turma, depois formou duas, três – e não parou mais. Hoje é dono de um dos cursinhos mais reconhecidos do Rio de Janeiro pelo alto índice de aprovação de seus alunos nos vestibulares.

Ouça sua intuição

Para aqueles que não se permitiram ter um sonho ou se esqueceram dele, a intuição pode ajudar a encontrá-lo. A intuição é sua voz interior. Ela o protege e lhe quer bem, e é importante que você possa reconhecê-la e desenvolvê-la. Por que falo em reconhecê-la? Porque dentro de você há também a voz da autocrítica, da auto-exigência, da cobrança, de tudo o que lhe disseram a seu respeito, mas não é "sua" verdade. A autocrítica diz coisas do tipo: *Seu idiota, você já tem mais de 40 anos e ainda não aprendeu isso; Ah, é melhor não enfrentar essa situação, você não dá conta; Eu não disse que não ia dar certo?; Você vai deixar esse moleque levar vantagem sobre você? Não dê o braço a torcer!!!*

Lembre-se sempre de que a intuição não critica, conforta; não amedronta, aconselha. Para desenvolvê-la, você deve calar a voz da autocrítica e praticar a autocompreensão. Suponhamos que você esteja inseguro de alguma coisa. Converse consigo mesmo amorosamente: *Você está se sentindo inseguro, não é? E do que precisa para não se sentir assim? O que está faltando para atingir esse objetivo?*

É preciso começar a se perguntar para poder ouvir a voz interior, e é essa autocompreensão que o porá em contato consigo mesmo, pois nesse momento você estará aberto para ouvir sua intuição. É quando você está com problemas, incertezas ou dificuldades que a intuição é mais necessária. Mas talvez você faça a pergunta e a autocrítica responda. Por isso é importante ficar atento: se a resposta o deprime, ignore-a. A intuição é uma voz que acolhe e protege – e as respostas que você pode obter dela são de tal sabedoria e profundidade que você ficará impressionado.

VÁ ATRÁS DE SEU MILAGRE

Quando surge uma pedra no caminho da realização do sonho, algumas pessoas dizem: *Deus vai me dar um milagre,* como se a solução fosse cair do céu. O que as pessoas não compreendem nesses momentos é que Deus já disponibilizou esse milagre, mas é preciso ir atrás dele. Deus não tem serviço de entrega de milagres em domicílio.

Precisamos estar dispostos a arregaçar as mangas para realizar nosso milagre – ou seja, pôr em prática nosso propósito. Temos de superar o medo que há por trás da acomodação ou do conformismo, que nos impedem de sonhar.

Como já disse, quem não se permite sonhar não está vivendo; está apenas sobrevivendo. Sobreviver, porém, é algo que tem mais a ver com o instinto do que com a consciência. Há quem diga que o ser humano é instintivo, e eu considero essa idéia muito limitante, pois no cerne do instinto está a autopreservação, o sentido que nos faz ter medo dos predadores. Portanto, se o homem vive na dimensão do medo – medo da escassez, medo da destruição –, coloca-se na mesma dimensão do bicho e se esquece de **seu poder criador**. É esse o caso do profissional talentoso que vive para preservar o salário ou o cargo e não se dá conta de que poderia criar uma realidade totalmente diferente e bem-sucedida.

Os tempos de hoje nos convidam a vivenciar o sentimento de realização em todos os aspectos da vida – inclusive o pessoal, o afetivo e o familiar. E isso só **é** possível com a compreensão mais elevada da vida e de nós mesmos. Mas não devemos esperar que Deus nos entregue **o milagre** de bandeja. Nós é que temos de ir buscá-lo, aproveitando toda oportunidade de crescimento que se apresentar. Ainda assim, há pessoas que resistem à necessidade de crescer e de se tornar melhores – pais melhores, filhos melhores, companheiros melhores, profissionais melhores, amigos melhores.

É fácil perceber quando estamos resistindo a alguma coisa: os sintomas são sofrimento, dor e sentimento de perda do domínio da vida. Afinal, é impossível ter estabilidade num mundo instável como o de hoje. Isso acontece, por exemplo, com a pessoa que deseja um relacionamento estável. Em vez de se transformar para acompanhar **a evolução** do relacionamento, ela quer que tudo permaneça igual para sempre. Há quem preserve posturas de décadas atrás, quando não havia espaço para discutir satisfação sexual, igualdade de direitos nem necessidade de realização. Quando o homem e a mulher se negam a evoluir no casamento e a aperfeiçoar-se como pessoas, estão tentando viver uma história que não existe mais. Não **é** de surpreender, portanto, que de repente sejam abandonados.

Para nos tornar pessoas melhores, temos de seguir o ensinamento de um mestre indiano que conheci. Ele dizia:

É PRECISO QUE VOCÊ APRENDA A MORRER. MORRA PARA AQUILO QUE VOCÊ FOI. NASÇA PARA AQUILO QUE VOCÊ ESCOLHEU VIVER HOJE!

Isso significa que precisamos fechar o ciclo do passado para ser capazes de perceber o momento presente – ou seja, em vez de reincidir em atitudes que não trouxeram o resultado desejado, devemos **renovar** o compromisso com o essencial para nossa existência hoje.

Ao fazer isso, mudamos nossa vida agora e também no futuro. Não basta dizer que *amanhã as coisas serão melhores* sem estar comprometido com isso hoje, pois o futuro resulta daquilo que estamos fazendo com nossa vida neste momento.

Quando se fala no que está por vir, deve-se considerar também que os avanços da ciência e da tecnologia estão mudando a noção de futuro, o que tem causado certa confusão na vida das pessoas. Alguém que não teve tempo de sonhar e diz que seu tempo passou e sua vida acabou tem hoje um grande problema para administrar. Com os progressos da medicina, é possível viver muito mais do que há algumas décadas. Se hoje a expectativa de vida é de 80 ou 90 anos, uma pessoa de 60 que se considera velha para sonhar está jogando fora pelo menos um terço de sua existência. Imagine-se decretar o fim da vida sexual aos 60 anos e ficar em abstinência por três décadas!

A longevidade do ser humano está mudando a referência do que é ser velho hoje em dia e dos limites da realização, tanto é que há pessoas com 60 ou 70 anos voltando à faculdade, pois nunca é tarde para recomeçar.

Realizar um sonho é como ir na direção da linha do horizonte: quando se chega lá, surgem novos sonhos e horizontes para perseguir. Você pode preferir viver uma nova realidade a todo momento, renovando-se continuamente. Se a humanidade não superasse limites, não teria chegado à Lua. Se não superasse o limite que a levou à Lua, não estaria chegando a Marte.

SEJA COERENTE COM O QUE VOCÊ ESCOLHEU VIVER

Uma vez feita a escolha do que você quer viver, é importante adotar atitudes coerentes com essa escolha. Ser coerente nada mais é que manter o foco no que é importante para a conquista de seu propósito.

Uma pessoa apaixonada marca o primeiro encontro com seu amor, e ele se atrasa meia hora. Será possível jogar fora uma noite de amor por causa de meia hora de atraso?

Quem procura ser coerente com seu desejo de viver a paixão deve perguntar-se o que é mais importante – uma noite de amor ou meia hora de atraso?

Certa vez, quando passava por um período especialmente conturbado de minha vida, eu me propus exercitar a serenidade e a tranqüilidade em todas as situações. Na ocasião, fui convidado para dar uma palestra num congresso em Arequipa, no Peru, e tinha de tomar dois aviões: um de São Paulo a Lima e outro de Lima a Arequipa. Quando cheguei ao aeroporto, o vôo já estava lotado e o único lugar disponível ficava no setor de fumantes, na última poltrona ao lado da janela. Imagine um lugar estreito – aquele era menor ainda. Eu torcia para que o passageiro ao meu lado não fumasse, mas o destino não foi generoso comigo, pois meu companheiro de viagem era um daqueles fumantes inveterados. Fiquei numa agonia imensa até parar de resistir àquela situação. Lembrando meu propósito de me manter sereno e tranqüilo, passei a desfrutar a companhia daquele senhor peruano. E assim fizemos uma viagem maravilhosa, inesquecível e cheia de lições de vida, um presente que o destino me reservou naquele vôo.

Chegando a Lima, porém, não havia ninguém à minha espera no aeroporto, como fora combinado. A situação me convidava à irritação, mas, lembrando novamente minha determinação de permanecer sereno e tranqüilo, resolvi esperar com calma o segundo vôo para Arequipa, que foi cancelado. O avião seguinte acabou decolando duas horas depois do previsto. Mais uma vez, a situação me convidava a perder a calma, mas consegui permanecer sereno e tranqüilo. Telefonei para meu anfitrião em Arequipa e o avisei de que chegaria em cima da hora da palestra. Foi tudo muito corrido, nem tive tempo de passar no hotel para trocar de roupa. Do jeito que estava, fui diretamente para o local da palestra, que já estava atrasada.

Moral da história: não é porque me proponho ser sereno e tranqüilo que tudo à minha volta será um mar de serenidade e tranqüilidade. Aliás, tudo acontece justamente para nos fazer exercitar o propósito escolhido. Naquela situação, mantive o foco no que era mais importante para mim: continuar sereno e tranqüilo. Acabei conhecendo pessoas fantásticas e até aproveitei todo o incidente para contá-lo na conferência.

SER COERENTE É TER O SENTIMENTO,
O PENSAMENTO E A ATITUDE ALINHADOS
COM O PROPÓSITO – E MANTER O FOCO
NO QUE É IMPORTANTE.

Isso não significa que a realidade sempre se ajusta àquilo que escolhemos, mas é nossa forma de lidar com a realidade que fará a diferença.

Há quem escolha viver o amor num relacionamento, mas só veja os erros e os defeitos do outro. Essas pessoas não se lembram mais do que as motivou a ficar com o parceiro e passam a prestar atenção apenas nos defeitos dele – que, aliás, sempre existiram.

E PARA VOCÊ, O QUE É MAIS IMPORTANTE: SER FELIZ OU TER RAZÃO?

Você pode ter como objetivo realizar-se num relacionamento, mas se mantiver seu foco nos defeitos do outro, nos problemas e nas divergências que surgem com o parceiro, dificilmente seu objetivo se realizará.

O ritual indígena de caminhar sobre brasas é um excelente exemplo de manutenção do foco e de coerência com o propósito. Você tem um objetivo: chegar ao outro lado. Se você se concentrar apenas nesse objetivo, não se queimará. Mas, se ceder à tentação de prestar atenção nas brasas, é bem provável que saia queimado. Quando estive com os índios *cherokees,* nos Estados Unidos, andei sobre brasas várias vezes e não me queimei. Ao voltar ao Brasil, dei três seminários e não me queimei. O quarto seminário teve uma série de problemas de bastidores e, no momento de caminhar sobre as brasas, apenas fiz de conta que pensava no objetivo de alcançar o outro lado – e me queimei. Para mim, essa foi uma grande lição.

Na vida também é assim: às vezes nos queimamos durante a caminhada por fazer de conta que tudo está bem, que temos um motivo para levantar da cama e trabalhar, que estamos vivendo uma história de amor. Fazemos faz de conta que estamos agindo de maneira coerente, mas devemos nos lembrar de que o resultado é fruto de onde colocamos a atenção. Quando focamos o objetivo, nós o atingimos. Mas, se prestarmos atenção apenas nos buracos ou nas brasas do caminho, obteremos um resultado compatível com essa preocupação.

Há pessoas cujo propósito de vida é falar de problemas, da negatividade do outro, do que ele fez ou deixou de fazer. Algumas já se queimam antes de caminhar pela vida. Outras se queimam no início do caminho, diante da primeira dificuldade. Outras chegam aonde querem e, como "prêmio", têm o primeiro enfarte. Outras chegam, mas queimam família, amigos, casamento.

TÃO IMPORTANTE QUANTO DEFINIR SEU PROPÓSITO É ESTABELECER A FORMA COMO QUER ATINGI-LO – COM A FAMÍLIA, COM OS AMIGOS, COM SAÚDE.

Feito isso, você estará preparado para dar o próximo passo.

2º PASSO

ATITUDES ESSENCIAIS PARA A REALIZAÇÃO DO SEU PROJETO DE VIDA

Nessa caminhada rumo à auto-realização, temos de identificar nossos pontos fracos e buscar ajuda para superá-los. Entretanto, uma série de crenças limitantes pode nos impedir de procurar auxílio. Neste capítulo, você verá como criar relacionamentos positivos, que ampliam a capacidade de realização de todos.

Quantas vezes alguém está precisando de um colo e não sabe pedir. Precisa de um abraço, uma palavra, um olhar, mas não pede. Precisa de ajuda no trabalho, porém não se abre com ninguém. Parece até haver a crença de que não podemos pedir o que precisamos, pois, se o fizermos, vamos nos mostrar fracos, e isso poderá ser usado contra **nós**.

Quando confrontamos esses pensamentos, ainda assim **podemos** gerar expectativas negativas sobre a reação da outra pessoa: *Ela não vai entender, não vai gostar, não vai me dar o que preciso, vai ficar chateada*... Todas essas idéias que cercam o ato de pedir e **receber** nos fazem acumular decepções e frustrações.

As pessoas têm dificuldade de pedir ajuda mesmo quando passam pelo momento mais crítico de sua vida. Intimamente, porém, esperam que os outros sejam compreensivos com elas e tragam a solução para seus problemas. É mais ou menos como a história da Bela Adormecida, que passa 100 anos em sono profundo e é resgatada pelo príncipe. É ele que enfrenta todas as dificuldades: luta contra o dragão, desafia a bruxa malvada, supera tudo e por fim, magicamente, liberta a Bela Adormecida do feitiço. Da mesma forma que a princesa da história, há quem espere pela solução mágica de seus problemas, que o livre da necessidade de enfrentar as dificuldades.

Muita gente pensa assim. É o caso de quem precisa falar fluentemente um idioma, matricula-se numa escola e não permanece nem sequer um mês no curso, pois percebe que não suprirá sua necessidade com o imediatismo que deseja. É o caso, também, do rapaz tímido que fica esperando que a garota dos seus sonhos venha falar com ele ou do profissional que tem medo de falar em público e espera nunca ter de fazê-lo, mas deseja que, de alguma forma, todo mundo conheça suas idéias.

Enquanto esperamos soluções mágicas e não fazemos absolutamente nada, a vida se firma cada vez mais como um rolo compressor a nos empurrar para o abismo. A idéia de que a vida é dura, difícil e implacável começa a ganhar corpo. Mas não é a vida que é dura; nossas atitudes é que a tornam difícil. Assim, quando eu digo *Peça o que você precisa*, isso equivale a afirmar: *Assuma o comando de sua vida.*

Quando falo em pedir, porém, não me refiro apenas a solicitar a ajuda de alguém, pois há coisas que só nós podemos nos dar. O problema é que existe a tendência de negar aquilo que uma parte de nós gostaria de ter: às vezes é simplesmente uma soneca no meio da tarde, uma pipoca no cinema, uma viagem, uma roupa nova. Dar algo a si mesmo é dizer: *Eu me permito ter o que desejo, eu aceito satisfazer uma vontade que se manifesta em mim.*

Isso vale tanto para pequenas coisas como para um grande propósito de vida. Você também pode pedir alguma coisa em oração, em meditação, numa visualização criativa, em afirmações positivas. Nesses momentos de interiorização, você entra em contato consigo mesmo e com Deus. Está criando, com Ele, a realidade que escolheu para si mesmo.

Criando algo em comum com o outro

Pedir implica a decisão sobre o que é importante em sua **vida** e o que fazer para obtê-lo. Há pessoas que passam a vida toda dizendo *Eu nunca recebi apoio, atenção, afeto,* mas se esquecem de que são as principais responsáveis por isso. Afinal, quem quer receber algo precisa, primeiro, saber pedir.

É o caso do profissional que se julga despreparado, mas não pede orientação a quem pode ajudá-lo. Talvez esteja em ascensão e tenha medo de mostrar vulnerabilidade – *O que vão pensar de mim?* Ele imagina que, se pedir ajuda, demonstrará incompetência e por isso passa todo o tempo fazendo de conta que sabe. Seria mais honesto pedir ajuda, esclarecimento, apoio ou seja o que for. Mas, como ele não pede, tem a sensação de estar sobre algo que não **é** real, como areia movediça.

Nessa situação, parece que a qualquer momento os outros poderão descobrir sua fragilidade. Então ele se fecha cada vez mais em si mesmo e na idéia de ser um sucesso, deixando de criar vínculos com os outros. Evita as relações pessoais para não demonstrar suas **emoções**, seus sentimentos e suas necessidades, pois teme se expor – *O que vão pensar de mim?*

Quanto mais se isola, maior é sua convicção de que o sucesso depende exclusivamente de si mesmo. Os obstáculos aparecem, e ele fica sobrecarregado, tenso e tem menos tempo para viver sua vida – só há tempo, energia e atenção para o sucesso. Quando se dá conta, está sozinho, distante de tudo e de todos.

Como no exemplo desse profissional, é muito comum que as pessoas estabeleçam grandes objetivos e se esqueçam de cultivar relacionamentos positivos que ampliem o poder de realização de todos. É a capacidade de gerar situações favoráveis para si mesmo e para os outros que traz o sucesso duradouro. Quando se formam esses vínculos com os demais, os pedidos são naturais, fazem parte da amizade. Afinal, com os amigos a gente está sempre trocando alguma coisa – e isso abre espaço para que eles também peçam nossa ajuda mais à frente.

Mas quem não cria esses vínculos se isola – profissional e pessoalmente – e então surge a idéia do sucesso a qualquer preço. Cada resultado alcançado passa a ter o custo de uma decepção pessoal. O indivíduo pode até se destacar e ascender no trabalho, mas outras áreas de sua vida começam a declinar: o casamento, a saúde, a vida em família. Esta é a sensação do sucesso incompleto: uma parte da vida vai bem, todas as outras vão mal.

A vida desse profissional seria muito diferente se ele tivesse coragem de solicitar a um colega para compartilhar seu conhecimento com ele, de pedir ao filho para ter paciência naquele momento tumultuado de sua vida e à esposa para ser cúmplice de seus objetivos. Quando falo em pedir, porém, não me refiro à atitude superficial ou impessoal de dizer *Preciso de tal coisa* ou *Por favor, providencie isso para mim*. Pedir, no contexto da criação de bons resultados para sua vida, é comunicar ao outro o que você quer de modo que ele compreenda como você se sente. É envolver o outro, compartilhar com ele algo seu. É isso que torna o sucesso duradouro.

Infelizmente, as pessoas ignoram essa forma de pedir. Pior: não pedem nada ao outro com receio de tornar as coisas ainda mais difíceis. A esposa do executivo que se mata de trabalhar, por exemplo, quer que o marido se dedique mais a ela e à família, mas teme uma explosão se pedir isso: *Como se não me bastassem as cobranças do trabalho, vem você com cobranças em casa!* O problema é que deixamos que as coisas se acumulem durante uma semana, um ano, uma vida... Quando, enfim, nos decidimos a pedir, já o fazemos com a expectativa de nada receber em razão de experiências e decepções passadas. E fica, então, a idéia: *Não vou receber mesmo, mas vou pedir de qualquer jeito. De hoje não passa, é tudo ou nada.*

Teria sido mais simples para essa esposa pedir a aproximação do marido no momento em que começou o distanciamento. Depois que a distância se transformou em abismo, a aproximação é quase impossível.

As pessoas só tomam a iniciativa de pedir quando a situação já se tornou insustentável, e o fazem da pior maneira: falando do que lhes desagrada. Elas dizem: *Por que você não faz mais isso? Por que você não presta mais atenção em mim?* Usam também a fórmula de falar do outro: *Você me irrita, você me ignora, você me deixa nervoso.* Ou, ainda, falam do sentimento do parceiro: *Você está desanimado, não tem mais tesão, não conversa com ninguém aqui em casa.* Fazer isso é, deliberadamente, brincar com fósforos num quarto cheio de fogos de artifício. Pode até gerar agressão física.

AS PESSOAS ACUMULAM UMA SÉRIE DE DECEPÇÕES, MÁGOAS, TRISTEZAS E, QUANDO RESOLVEM PEDIR, O FAZEM DA MANEIRA QUE MAIS AS AFASTA DE OBTER O QUE DESEJAM.

Para não meter os pés pelas mãos por ter ficado a vida toda sem exercitar o ato de pedir, é preciso conhecer algumas regras.

Em primeiro lugar, quem pede deve estar aberto para receber. O momento de pedir é um momento de humildade, em que as mãos precisam estar abertas. Quem pede assume a postura de quem quer receber seja o que for, e não de quem já tem a solução ou a resposta. Se existir uma idéia preconcebida – *Ele não vai aceitar; Ela será dura, eu não vou conseguir* –, não haverá abertura para receber.

Pode-se também supor o que se vai receber, ter a expectativa de uma resposta favorável. É preciso ter em mente que, quando se pede alguma coisa, há três possibilidades: receber o que se quer, menos do que se quer ou mais do que se quer. Às vezes a pessoa cria uma expectativa tão grande que, se não for atendida, não perceberá que o outro deu o máximo que pôde no momento. Não aprecia o que recebeu porque não era o que esperava.

Em segundo lugar, é preciso saber a quem pedir. Alguém que encontra problemas no trabalho logo pensa em solicitar a ajuda do chefe. Mas será ele a pessoa mais indicada? Talvez o chefe não tenha o que ele procura, mas um dos companheiros de trabalho possa atendê-lo. Há quem busque justamente a pessoa que não tem nada para dar, e então se repete o conhecido círculo vicioso: *Fulano não me dá o que quero, não adianta pedir porque não serei atendido.* Com isso, a pessoa deixa de pedir a quem está mais disponível.

Em terceiro lugar, é preciso falar daquilo que se quer. É fácil saber quando uma reunião de negócios não vai dar certo: quando todo mundo está falando do que não quer. Um relacionamento também é uma negociação de coisas valiosíssimas: sentimento, amor, afeto, felicidade. É fundamental dizer o que desejamos para a relação, para nossa vida e até mesmo para o outro. A esposa do executivo superocupado, em vez de dizer: *Você não liga mais para mim* (o que não quer), deveria falar sobre o que deseja: *Peço a você que reserve cinco minutos do seu dia para sentar-se aqui e conversar comigo; Vamos a um restaurante; Vamos viajar neste fim de semana, só nós dois.*

Em quarto lugar, é preciso falar do sentimento: *Eu me sinto assim, estou chateado, isso me faz mal.* Algumas pessoas são especialistas em falar dos sentimentos do outro, são excelentes analistas do processo emocional e dos bloqueios alheios, mas não falam do que estão sentindo. Há um ditado que diz: *O macaco olha para o rabo dos outros sem olhar o próprio rabo.* Antes de falar do outro, fale de algo mais familiar, ou seja, *de você.* Não é boa ética falar do sentimento do outro. Peça que ele diga como se sente para confirmar ou não o que você observou ou percebeu.

Quando se escolhe a melhor ocasião, a pessoa certa e o modo apropriado, cria-se uma forma extremamente poderosa de pedir o que se quer.

É preciso também ser positivo, objetivo, dizer diretamente o que se deseja e revelar os sentimentos envolvidos. Com isso a outra pessoa se predispõe a sentir o que **você** sente, compartilhando sua vida e seu problema.

Honestidade consigo mesmo

Talvez você não saiba com clareza o que quer pedir. De fato, quando se estabelece um diálogo interno com as vozes da autocrítica, das cobranças e exigências, **é** difícil ser coerente com aquilo que se deseja pedir.

Quando me lembro de Humphrey Bogart no filme *Casablanca*, com um cigarro no canto da boca enquanto vê partir a mulher amada, penso que muitas pessoas talvez acreditem que as coisas devam ser dessa forma – homem que é homem não pede, não se entrega, não arreda pé, não demonstra fraqueza nem sentimentos.

Tantos conceitos, tantas idéias e crenças podem entrar na vida da gente e se tornar leis, regras que norteiam o certo e o errado. E tudo isso se reflete em nosso diálogo interno. Assim, é **essencial** que sejamos honestos com nós mesmos e ouçamos nossa voz interior, pois ela, sim, diz o que precisamos pedir.

MESMO QUE APENAS POR CINCO SEGUNDOS, HÁ UM MOMENTO DE CONSCIÊNCIA EM QUE É POSSÍVEL DISCERNIR SE O QUE FAZEMOS VAI NOS FERIR OU FERIR ALGUÉM. CONQUISTAR A SABEDORIA É

ESTENDER ESSE PERÍODO PARA DEZ SEGUNDOS, TRINTA SEGUNDOS, UM MINUTO.

É um grande desafio assumir perante a própria consciência o que se sentiu e pensou. Podemos enganar os outros, mas não podemos enganar a nós mesmos. Não é que não saibamos o que desejamos; na verdade, não temos coragem de assumir nossos desejos. Alguém diz assim: *Não sei mais o que fazer com meu casamento.* Mas, no íntimo, a pessoa sabe que não gosta mais da relação, não sente mais atração nem interesse. Para ela, é mais fácil dizer *Não sei* do que admitir que sabe, pois se disser que sabe ouvirá imediatamente a pergunta: *Então, o que é?* E esse é um confronto que ela deseja evitar.

Alguém que passa por uma situação difícil na vida profissional pode dizer: *Mas eu não sei a razão da minha dificuldade.* Mas, lá no íntimo, a pessoa sabe que está com medo de enfrentar determinada situação, de parecer incompetente. É próprio da natureza humana ter fragilidades, mas ninguém gosta de reconhecer isso. Até as pessoas mais bem-sucedidas têm fraquezas. A diferença é que elas reconheceram seus pontos fracos, transformarem-nos e saíram fortalecidas da experiência.

Pedir aquilo que já se tem não fará diferença na vida de ninguém. Mas pedir o que não se tem – desde que a pessoa reconheça que merece preencher uma carência – vai fazer muita diferença em sua vida. Quando uma pessoa diz *Não gosto de falar em público,* está negando uma partezinha dela que adoraria sentir-se bem nessa situação e obter o reconhecimento merecido. É mais fácil negar que existe essa parte carente do que reconhecê-la e trabalhar para supri-la.

Uma pessoa diz que não se sente à vontade para assumir um papel ativo no sexo, preferindo deixar que o outro tome a iniciativa. Mas há aquela pequena parte que adoraria desfrutar tudo o que o sexo tem a oferecer em vez de ser apenas coadjuvante. Por causa do diálogo crítico consigo mesma, ela nega essa parte e se justifica dizendo que tal comportamento não é socialmente adequado. Assim, muita gente vive a vida sem reconhecer suas preciosas "partezinhas".

Sensibilidade

Não há pessoas insensíveis. Há quem expressa seus sentimentos e quem não os expressa. Num curso que dei, um homem dizia o tempo todo: *Ah, mas eu sou muito racional.* Eu respondi: *Acho que esse é seu maior engano. Você é extremamente sensível. Talvez você tenha acreditado nisso toda a sua vida, o que o fez sofrer muito.* Quando parei de falar, ele começou a chorar: era como se finalmente se permitisse ser sensível.

Pedir o que se precisa também pode ser entendido como dar a si próprio o necessário, dar o que uma parte de você vem pedindo há um bocado de tempo. Há quem deixe a água bater no nariz para pedir o que precisa – quando descobre que, se não pedir, morrerá. E há quem deixe a situação ir mais além, até a morte. Parece inacreditável que alguém possa negar aquilo que mais precisa até a morte, mas já presenciei uma situação como essa.

Conheci uma mulher já em estado terminal de um câncer de mama. Durante toda a vida, ela manteve uma postura extremamente rígida. Sua filha entra no quarto, contendo-se para não extravasar a emoção, mas não agüenta e começa a chorar na frente da mãe. Pois essa mãe, mesmo agonizante, ergue a mão, dá um tapa no rosto da filha e diz: *Eu não criei você para ser fraca.*

Imagine o que a filha passou e a conseqüência desse episódio em sua vida. Depois disso, toda vez que se sentisse em dificuldade ouviria a voz da crítica dizer: *Você não nasceu para ser fraca.*

Nosso maior compromisso não é somente nos tornar sensíveis, mas ser honestos com aquilo que sentimos. Alguns mentem para os outros, mas é ainda mais trágico que uma pessoa minta para si mesma, pois o fato de negar sua **verdade** a conduz ao fracasso existencial. Toda mudança se baseia na consciência do modo como se vive, que é confrontado com o que se deseja viver. Na maioria das vezes, não **é** necessário mudar tudo na vida. Para viver a dimensão da **mudança** e da criação de um sucesso verdadeiro, é fundamental expandir nossa capacidade de ter prazer, de cultivar relacionamentos duradouros, de gerar ações relevantes para as pessoas importantes para nós e de criar, conscientemente, o legado ou o ensinamento que desejamos deixar.

Seria tão bom se pudéssemos rebobinar a fita da vida daquela mãe com câncer para que reconsiderasse algumas decisões. Se fosse mais coerente com o que sentia, com o que desejava, que legado teria deixado para a filha?

TRANSFORMANDO OS PONTOS FRACOS EM PONTOS FORTES

É preciso reconhecer os pontos fracos – aquilo que não temos – para saber o que pedir. Assim, o que nos falta poderá ser trabalhado para transformar-se em ponto forte.

Quando eu tinha 10 anos, só jogava futebol porque era o dono da bola. Na hora da separação dos times, eu era sempre o último a ser escolhido. Era tão ruim que os capitães preferiam ter um jogador a menos no time a me escolher. Eu me queixava de que o pessoal não era legal comigo até que, certo dia, tive um "estalo". Voltei para casa e comecei a treinar, botei na cabeça que seria um bom jogador. Havia um corredor comprido em casa onde eu colocava uma latinha e tentava acertá-la. Depois treinava dribles com meus três cachorros. Ao longo dos anos, passei dos últimos aos primeiros a serem escolhidos. Cheguei a ser a primeira escolha dos times. Eu não nasci jogador, mas me tornei um.

No campo profissional, é mais fácil perceber os pontos fracos e trabalhar para transformá-los em fatores positivos. Ao reconhecer que tem dificuldade de redigir cartas, por exemplo, a secretária interessada procura onde ou com quem aprender redação. Encontra um curso e pede ao chefe para fazê-lo, explicando sua dificuldade, seu desejo, seu sentimento. Ele consente e ela faz o curso. Esse movimento parece implícito em toda carreira bem estruturada. Até mesmo no planejamento da carreira o profissional pode identificar suas necessidades e decidir lutar para superá-las. Com isso, não só desenvolverá sua técnica mas também fortalecerá seu potencial humano.

Hoje o grande diferencial competitivo do profissional não é meramente técnico, mesmo porque, num processo de seleção, é muito comum duas ou mais pessoas empatarem em número de cursos e especializações. O diferencial é o potencial humano, que indica se a pessoa está preparada para tomar decisões com segurança e rapidez, como usa sua criatividade, se tem prazer no que faz ou é capaz de construir relacionamentos produtivos.

Já na vida pessoal, com freqüência as pessoas deixam de reconhecer seus pontos fracos e de trabalhá-los. Parece ser mais tentador dizer: *Eu nasci assim, sou desse jeito mesmo.* É muito mais conveniente conformar-se com circunstâncias que não apreciam. Na área afetiva, só se reconhece que alguma coisa precisa mudar quando se perde o ser amado. A pessoa começa, então, a fazer inúmeras proposições que às vezes são cumpridas e às vezes ficam só na intenção.

Quem quer viver o sucesso em qualquer área da vida deve estar consciente do que lhe será exigido. No trabalho, o chefe não pede só o que o profissional tem para dar, pede um pouco mais. E esse profissional, se for consciencioso, se esforçará para corresponder às expectativas. No amor, porém, as pessoas não têm essa consciência. No entanto, quando alguém se apaixona mostra exatamente o que a relação pode ser. A pessoa torna-se criativa para arranjar tempo, consegue oportunidades para o amor, escreve poemas, faz surpresas. Ela sabe como deve agir para encantar e cativar. Mas, depois que passa a fase da paixão, vem a acomodação – e a pessoa volta a ser o que sempre foi. E é nesse momento que começa a ser exigida – exigida para mostrar a mesma criatividade da época em que estava apaixonada. Ela reage, protesta porque estão pegando no seu pé – e em seguida vem o famoso *Eu sou assim mesmo*.

Acomodar-se nas limitações é fatal para qualquer relacionamento. Amor e limitação são incompatíveis. Amor combina com expansão. As grandes histórias de amor – seja o amor romântico, seja o amor a uma causa, seja o amor a um povo – têm como protagonistas pessoas que não conheceram limites. Romeu e Julieta, Mahatma Gandhi, Martin Luther King e Betinho são ótimos exemplos.

AMOR COMBINA COM ESSE SENTIMENTO DE EXPANSÃO, QUE CONVIDA A EVOLUIR. QUEM ESTÁ COMPROMETIDO COM UMA RELAÇÃO FELIZ PROCURA MELHORAR. MAS QUEM INSISTE EM DIZER *EU SOU ASSIM MESMO* NÃO ESTÁ COMPROMETIDO COM O AMOR.

Se uma das partes do casal pede algo que a outra não quer dar, acaba chegando à conclusão de que não adianta pedir mais nada. Os parceiros fazem um pacto do tipo *Eu não exijo e você não me cobra*, e a relação morre. Faz-se o acordo de ninguém pedir nada a ninguém, e ambos fingem estar satisfeitos.

A família é outra área da existência que nos convida a melhorar. Há pessoas que passam a vida brigando com os pais e, quando um deles morre, começam a chorar e lamentar o que poderiam ter feito e não fizeram. Fica a sensação de que não viveram uma infinidade de experiências – porque brigar, para elas, era mais importante que viver o amor. Acho muito significativa a história de José do Egito, personagem bíblico invejado pelos irmãos e por eles vendido como escravo para uma caravana a caminho do Egito. Nessa terra estranha, depois de passar por muito sofrimento, José se torna poderoso. Quando reencontra os irmãos, vence a batalha contra o rancor e a mágoa do passado e vive a dimensão do amor com sua família.

A família é o campo ideal para o exercício da espiritualidade, em que se pode trabalhar as diferenças para que todos se aproximem e se integrem – não porque têm o mesmo sangue, mas porque se respeitam. É também o espaço em que podemos ir além daquilo que fomos no passado ou do que fizeram conosco e escolher como viver essa relação.

Reconhecer nossos pontos fracos é o primeiro movimento para transformá-los em pontos fortes. Mas o segundo movimento deve ser a autovalorização. Apenas dar-se conta das próprias deficiências pode levar ao sentimento de autopiedade, que não gera mudanças. É preciso romper com a atitude de autocomiseração e adotar uma atitude espontânea como a da criança que pede o que deseja, não se importa em ouvir um "não" e está aberta ao aprendizado. São essas as atitudes de um verdadeiro criador de resultados.

3º PASSO

ASSUMA A CONDIÇÃO DE CRIADOR DO SEU DESTINO

Quando você atribui aos outros a responsabilidade por aquilo que você está ou não vivendo, está transferindo seu poder para eles. Assim, o terceiro passo representa a conscientização de que depende exclusivamente de você – de suas escolhas e atitudes – obter os resultados que deseja na vida.

V**ocê pode** perguntar a si mesmo: por que *eu* tenho de mudar? Por que *eu* tenho de pedir desculpas? *Eu* mudo e o outro permanece como está?

Ninguém é obrigado a fazer nada, pois não se trata de obrigação, trata-se de escolha. E essa escolha tem duas vertentes: a passiva, ou seja, esperar eternamente que o outro tome uma atitude e você obtenha o que quer, e a ativa, em que *você* toma a iniciativa de ter o que quer. Por isso, amorosamente, descarte a idéia de obrigação.

Se você acha que o outro é que tem de agir para você obter os resultados que deseja, está abrindo mão de **conduzir sua vida**. Você se torna um prisioneiro do destino, numa situação parecida com a do passageiro que não sabe para onde vai o ônibus. É inconcebível que alguém viva como prisioneiro – prisioneiro de uma situação externa –, mas infelizmente é o que mais ocorre. Parece haver sempre um culpado pelos acontecimentos negativos. É como se alguém criasse uma circunstância com a qual você, como simples figurante, precisa conformar-se.

Ao viverem como simples figurantes, as pessoas perpetuam as atitudes da lamentação, da fofoca, da raiva e do ressentimento e passam a buscar uma série de justificativas para essa situação. Há aqueles que se julgam fadados a uma vida de dificuldades: *Mas eu sou de família pobre*. Há os que se vêem como eternos sobrecarregados: *Ah, eu tenho de carregar essa cruz sozinho*. Há os que vivem enfezados porque os outros os irritam – parece perseguição. Certos estados de ânimo tornam as pessoas reféns de si mesmas e elas se comportam como se estivessem à espera de um milagre que resolvesse todos os problemas.

QUEM PROCURA CULPADOS CERTAMENTE OS ENCONTRA, MAS ISSO NÃO MELHORA A VIDA DE NINGUÉM.

No entanto, ao perceber que cabe a **você** agir para obter os resultados que deseja, sua ótica muda. Você não se importa em agir enquanto o outro não faz nada, pois sabe que está construindo algo para si mesmo. Esse é um movimento de retomada do domínio de sua vida, um movimento de libertação. Pode até parecer uma atitude egocêntrica – *Quem conduz minha vida sou eu* –, mas esse é um egoísmo positivo porque o leva a assumir o fato de que **merece** ter o que deseja e ser feliz.

Quando você está plenamente comprometido com seu propósito, pode convidar o outro a participar de suas escolhas, fazer convites irresistíveis para que ele vivencie aquilo que você escolheu para si mesmo. Assim, magicamente, ele poderá criar a ação que você deseja, porque também passará **a** desejar o encanto que você está vivendo. É por esse motivo que um grande líder consegue inspirar as pessoas sob seu comando e levá-las à **realização** de um sonho comum. Jesus, Buda e Maomé são grandes exemplos disso.

Certa vez, uma aluna me confidenciou: *Meu problema são os homens. Eles não querem nada sério, só dar vôo rasante.*

E o que você faz quando vive uma relação dessas?, perguntei.

Antigamente eu sofria, mas fui ficando experiente. Hoje, quando percebo que o homem está tirando o time de campo, eu tiro o meu antes!

Mas você toma essa atitude para ser feliz ou para não sofrer?

Ah, professor, é fundamental ser esperto para não sofrer...

O que você deseja: viver o amor ou não sofrer?, perguntei. *Imagine, por um momento, o que aconteceria se você fosse uma pessoa plenamente comprometida com seu desejo de viver um grande amor. E se, em vez de ficar na defensiva, abrisse o coração para o outro e fosse você mesma, criando oportunidades de vivenciar toda a alegria e todo o prazer que um relacionamento pode proporcionar?*

Ela pensou um pouco e respondeu: *É, acho que tudo mudaria.*

Será que, se agisse dessa forma, os homens fugiriam de você?

Será ótimo quando os homens deixarem de culpar as mulheres pela falta de intensidade da relação e vice-versa. Se não existe encanto é porque alguém está fazendo ou deixando de fazer alguma coisa. Amorosamente, então, trate de fazê-la – não pelo outro, mas por si mesmo, por seu merecimento.

E a magia reaparecerá.

Fazer e deixar de fazer

Há dois questionamentos muito importantes para a pessoa motivada a obter o resultado que deseja. O primeiro é:

O QUE ESTOU FAZENDO PARA OBTER ESSE RESULTADO?

Talvez, com essa pergunta, a pessoa que vive um conflito considere estar fazendo tudo o que pode para solucioná-lo. Mas há o segundo questionamento:

O QUE ESTOU DEIXANDO DE FAZER PARA OBTER O RESULTADO QUE DESEJO?

Há uma passagem da carreira de Ayrton Senna que exemplifica bem isso. Na juventude ele era muito bom em corridas de *kart,* mas nunca havia enfrentado uma condição: a chuva. Certa vez choveu durante uma prova e ele chegou em último lugar. A atitude de Ayrton não foi culpar a chuva, os pneus, a pista nem o carro, mas questionar o que havia deixado de fazer para enfrentar essa situação adversa. A partir de então, sempre que chovia, ele saía para a pista. Treinou tanto a corrida sob a chuva que essa acabou por transformar-se em sua especialidade, seu grande diferencial em relação aos outros pilotos. O que para muita gente continua sendo uma justificativa do fracasso, para Ayrton tornou-se um fator de sucesso.

Suponhamos que uma pessoa queira viver uma relação intensa e faça tudo para conseguir isso: procura estar sempre presente e ser boa companheira, mas ainda assim o relacionamento tem conflitos. Ela se pergunta: *O que estou fazendo?* A resposta é *tudo*. Mas é com a pergunta *O que estou deixando de fazer?* que ela pode obter como resposta *Estou deixando de perdoar o passado*. Essa pessoa pode fazer tudo para ter um bom relacionamento, mas, se não tiver perdoado o passado, é como se uma pequena voz dentro dela dissesse ao outro: *Está vendo, seu egoísta, o que faço por você? E, no passado, você não me dava atenção.*

Não renove as situações indesejáveis do passado. Lembre-se: morra para aquilo que você foi e nasça para aquilo que escolheu viver.

Um pai ou uma mãe de família paga as contas da casa, dá estudo, roupas, alimentação e lazer para seus filhos. Está fazendo tudo certo. Mas, se esse pai ou essa mãe se perguntar *O que estou deixando de fazer?*, poderá vir a resposta: *Estou deixando de ser amigo dos meus filhos e não os vejo crescer.* Essa pessoa, um dia, olhará para a filha, que já se tornou mulher, e perceberá que esteve muito tempo ausente.

Talvez seja necessário, ainda, fazer-se uma terceira pergunta:

O QUE ESTOU IMPEDINDO QUE OS OUTROS FAÇAM?

Há quem afirme: *Não gosto de dançar, então meu parceiro também não dança.* Na verdade, há uma partezinha dessa pessoa que adoraria saber dançar, mas fazer isso seria expor-se demais, seria arriscar-se ao ridículo. Assim, para não enfrentar uma situação desagradável, ela diz simplesmente que odeia dançar, excluindo esse prazer de sua vida – e da vida de quem está com ela.

Se a pessoa não se dispuser a descobrir os reais motivos que a impedem de dançar, essa será uma opção dela. Mas isso não lhe dá o direito de proibir que o parceiro sinta prazer em dançar. Na verdade, se souber que dançar é importante para seu amor e estiver realmente empenhada em tornar a relação mais gostosa, ela se sentirá motivada a fazer um curso de dança e a freqüentar muitos bailes com o companheiro.

Não é possível mudar nosso destino de uma hora para outra. É como desviar o curso de um rio, e isso requer determinação e comprometimento. Vimos neste capítulo que para assumir a responsabilidade por nossa vida precisamos resistir à tentação de encontrar culpados para nossos problemas e passar à condição de criadores. O próximo passo será refletir: *Se o outro não é responsável pelo que vivo, meu problema é o que estou fazendo ou deixando de fazer para a situação chegar ao ponto a que chegou.*

Não se trata de encontrar um culpado, mas apenas de expandir seu domínio sobre a vida. Você é responsável pelo que está vivendo e também pelo que não está vivendo. Há quem faça tudo certo sem, contudo, procurar uma alternativa, outra forma de chegar ao que deseja. Pode-se estar muito preocupado em remar sem perceber que um pequeno furo deixa a água entrar no bote.

Não se esqueça de uma coisa: não é porque você teve a grande sacada que as turbulências vão parar. Elas continuam. A diferença é que você está no leme.

Gente é para brilhar, disse o poeta russo Maiakovski, e Caetano Veloso transformou essa frase na letra de uma canção. Infelizmente, parece que a crença dominante e mais aceitável é de que o ser humano nasceu para sofrer. No entanto, a pessoa que acredita ter nascido para ser feliz, realizar-se e brilhar constantemente se pergunta o que faz ou deixa de fazer para alcançar seu objetivo. Em situações em que parece não haver saída, ela cria oportunidades de encontrá-la. Percebe que os conflitos que cruzam seu caminho são a chance de abrir os olhos e compreender a necessidade de reinventar a si mesma e a sua vida. Essa chance a convida amorosamente a sair do marasmo e recuperar a visão de criadora de seu destino.

4º PASSO

COMPROMETA-SE COM O QUE VOCÊ QUER VIVER

Depois de identificar o propósito, pedir o que precisa e assumir a responsabilidade por sua vida, os três passos que vimos nos capítulos anteriores, é hora de comprometer-se seriamente a alcançar os objetivos propostos, agindo de maneira coerente com eles e sem se desviar do caminho que você escolheu.

Há um ditado bastante conhecido, uma frase forte que as pessoas levam muito a sério: *querer é poder*. Com freqüência se acredita que isso basta para a realização de todos os objetivos, como se, apenas pelo fato de querer, todas as portas se abrissem. Se a intensidade da vontade fosse suficiente para alcançar o que desejamos, ninguém estaria carente. Há quem deseje intensamente um prato de comida, mas não tem o que comer. Há quem deseje intensamente uma casa para morar, mas não tem um teto. E existem aqueles que não desejam tanto o prato de comida nem a casa, pois têm o que comer e onde morar.

QUERER NÃO É SUFICIENTE QUANDO NÃO HÁ UM COMPROMISSO SÉRIO COM AQUILO QUE SE QUER.

Uma pessoa que faz regime, por exemplo, quer muito emagrecer. Então, ela vai a uma festa e depara com uma mesa farta de salgados e doces. Se estiver seriamente comprometida com sua dieta, essa pessoa saberá escolher um prato que não a desvie do objetivo de emagrecer. Mas, se não houver esse compromisso, ela cederá à tentação de comer de tudo – e de nada valerá apenas querer.

Estar comprometido com um objetivo é ter atitudes e fazer escolhas coerentes com esse objetivo. Quando nosso objetivo é saciar a sede, buscamos água. Quando queremos saciar a fome, procuramos comida. Em situações tão simples, parece fácil e até óbvio ter atitudes coerentes. Mas, quando os propósitos envolvem sonhos, projetos de vida ou relacionamentos, é muito comum perder o foco e a noção de compromisso.

MUITOS QUEREM A ALEGRIA, MAS ACEITAM O PRIMEIRO CONVITE QUE SURGE PARA SE ABORRECER.

MUITOS QUEREM O SUCESSO, MAS DÃO IMPORTÂNCIA DEMAIS ÀS FALHAS, AOS ERROS E AOS MAUS RESULTADOS DO PASSADO.

MUITOS QUEREM VIVER UM GRANDE AMOR, MAS PREFEREM REVIVER A DOR E O SOFRIMENTO CAUSADOS POR RELAÇÕES ANTERIORES.

Você pode ter o claro propósito de ser feliz. Mas, quando alguém faz alguma coisa que o convida a ser infeliz, cede à tentação de lembrar-se de certas mágoas, de certos rancores, de uma dificuldade do passado e deixa de viver a felicidade que tanto deseja. Mesmo que saiba o que quer, naquele momento se deixará envolver pelo que não quer.

O que faz um profissional comprometido com o sucesso? Ele reconhece seus pontos fracos e trabalha para superá-los. Com isso, passa a sentir prazer no compromisso de se tornar melhor e mais competente, de aperfeiçoar o tempo e o esforço empregados no que realiza. Enquanto muita gente diz sempre que não tem tempo, o profissional comprometido consegue tempo para ter amigos, apaixonar-se, conviver com a família, dedicar-se a algum *hobby* e, sobretudo, empenhar-se naquilo que precisa fazer com competência. Seu dia parece ter mais de 24 horas, pois é utilizado de forma eficiente.

Uma pessoa que não está comprometida com o sucesso chega em casa e liga a TV. Dá um giro pelos canais até que sua atenção seja despertada por alguma coisa – um daqueles programas policiais, por exemplo. E fica ali, inerte, assistindo à miséria humana. Quando se dá conta, o tempo passou e ela não aproveitou aquelas horas para se divertir, para namorar, para se tornar melhor. Poderia, talvez, ter lido um pouco; mas não, simplesmente gastou o tempo. E depois reclama que não tem tempo para nada. A luta constante contra o tempo, aliás, é um dos indícios de que a pessoa não está comprometida com seu objetivo.

**EM VEZ DE FALAR DA FALTA DE TEMPO,
TOME ATITUDES QUE CRIEM ESSE TEMPO.**

Por outro lado, há muita gente que trabalha duramente o dia inteiro e ainda estuda à noite, chega em casa tarde, come alguma coisa e vai dormir. Muitas dessas pessoas se levantam às cinco da manhã para fazer tudo de novo: pegar duas conduções para o trabalho, dar duro o dia inteiro, estudar à noite... O dia-a-dia é pesado, mas elas vão em frente. O que alimenta essas pessoas? Os sonhos. É o sonho de uma vida melhor que lhes dá forças para levar adiante seu compromisso. Não são dias fáceis, mas tornam-se extremamente motivadores porque há o compromisso com alguma coisa maior, um sentido mais profundo que anima a pessoa a enfrentar os desafios.

Num relacionamento, estar comprometido com uma união duradoura é ter atitudes coerentes com a importância do parceiro em sua vida. Isso não significa fazer todas as vontades dele nem se obrigar a chegar em casa todo dia com um sorriso nos lábios. Isso quer dizer que, se houver desavenças, diferenças e problemas, ambas as partes levarão em consideração os sentimentos que motivaram seu relacionamento.

É preciso estar muito atento ao relacionamento e perguntar-se constantemente: *Eu faria isso com meu melhor amigo?* É curioso observar que somos capazes de dar respostas rudes e de ter atitudes grosseiras com o parceiro que escolhemos para dividir nossa vida, mas não temos coragem de fazer o mesmo com um amigo. Quando viajo com meu melhor amigo, eu cuido dele e o ouço. E por que não fazer o mesmo com esse grande companheiro de viagem que é o marido ou a esposa?

Uma mulher se preparava, em casa, para a apresentação de um projeto muito importante no trabalho. Ansiosa para montar a apresentação da melhor maneira possível, ela se irritava quando as coisas não davam certo e com as interrupções que sofria. Apesar de tudo, com muita paciência, o marido se mantinha ao lado dela. Acompanhava tudo de perto e dava seu apoio. No dia seguinte, minutos antes de iniciar a apresentação, a moça se deu conta de que o marido não só se comprometera com o trabalho dela mas também com o relacionamento dos dois. E ela, que recebera todo aquele apoio, nem havia agradecido. Imediatamente pegou o celular e ligou para o marido só para agradecer seu apoio, por ter sido amigo e companheiro. A apresentação foi um sucesso, mais saboroso ainda por ter sido comemorado em conjunto.

Estar comprometido com alguma coisa significa distinguir o que tem importância daquilo que não tem. Em certa ocasião, conversando com uma amiga minha, ela me falou de sua admiração por um casal que tinha filhos ótimos, bem resolvidos, de cabeça boa. Um dia perguntou ao pai das crianças qual era o segredo da educação dos filhos, e ele respondeu: *Eu dou muito, muito amor. Não me preocupo com a possibilidade de dar em excesso porque a vida se encarrega de equilibrar o que é dado em excesso.*

Esse pai sabe discernir o que é importante na vida dos filhos. Está comprometido com o futuro emocional deles, seus atos são coerentes com o que diz. Muitos pais ensinam que beber faz mal, mas chegam em casa embriagados. Por mais preocupados que estejam em transmitir o que é bom e o que não é, deixam para os filhos o reflexo do que fazem com a própria vida.

Perdoando o passado

As lembranças e referências do passado com freqüência nos desviam do compromisso com nosso propósito. Citei o exemplo da pessoa que deseja viver um amor duradouro, mas a cada conflito surgido na relação revive os sentimentos e as atitudes de uniões anteriores. Suponhamos que tenha sido traída por um antigo namorado e, toda vez que o parceiro parece frio ou distante, ela se sinta ameaçada e faça cenas de ciúme. Os fantasmas do passado continuam a assombrá-la. Ela parece mais comprometida com o que já experimentou (a traição) do que com aquilo que deseja experimentar (um relacionamento duradouro). Por isso, distancia-se cada vez mais de seu propósito, pois não consegue viver nada diferente do que já conhece.

Todos nós tivemos momentos de infelicidade no passado. Podemos também escolher o que fazer com esses eventos: reviver as dores que nos causaram ou extrair deles ensinamentos de vida. Se já conhecemos a dor, a infelicidade e a solidão, podemos reconhecer os caminhos que nos levam àquilo que *não* queremos.

Veja a lição contida neste poema zen:

Eu caminho por uma rua
Há um profundo buraco no meio dela
Eu caio no buraco
Não é minha culpa
Levo muito tempo para sair de lá.

Eu caminho pela mesma rua
Há um profundo buraco no meio dela
Finjo não ver o buraco
Eu caio nele
Não posso acreditar que caí de novo ali
Mas não é minha culpa
Levo muito tempo para sair de lá.

Eu ando pela mesma rua
Há um profundo buraco no meio dela

Eu vejo o buraco
Mas, ainda assim, caio nele – é um hábito
Meus olhos estão abertos
Sei onde estou
É minha culpa.

Eu ando pela mesma rua
Há um profundo buraco no meio dela
Eu contorno o buraco e não caio nele.

Eu ando por outra rua.

Esse poema mostra o que acontece com nossa vida. Hoje olho para trás e vejo que em minha trajetória houve muitos buracos. Mas os momentos em que caí neles me permitiram chegar aonde estou. Serviram para que eu me fortalecesse, me conhecesse e traçasse meus caminhos.

Quando falo em assumir um compromisso com a felicidade de hoje, isso não significa que o passado não exista. Suas referências podem tornar-se ferramentas que fortalecem ainda mais o compromisso com o que se deseja hoje.

Fui uma pessoa muito tímida para me expressar e trabalhei essas dificuldades. Hoje, quando me perguntam se fico ansioso antes de iniciar uma palestra, digo que sim. Mas essa é uma ansiedade positiva, de pôr em ação aquilo que me comprometi a fazer. Depois que começo a palestra, sou capaz de dar cambalhotas e saltos mortais. Os antigos compromissos com a timidez, com a retração e com a sensação de inadequação são superados porque meu compromisso maior é fazer do momento atual a realidade que escolhi viver.

Quando damos mais valor a um sentimento antigo do que àquilo que vivemos agora, ficamos presos no passado. A lembrança de experiências já vividas traz de volta a dor, os pensamentos e as sensações que tivemos na ocasião, e tudo isso é renovado no presente. Essa carga do passado nos provoca o julgamento da situação atual, e por isso responsabilizamos a pessoa que está diante de nós pelo que sentimos. É como se prendêssemos essa pessoa e nos tornássemos seus carcereiros. Mas não percebemos que, mesmo na posição de carcereiros, também estamos numa prisão.

A única maneira de libertar a nós mesmos e ao outro dessa prisão é pelo perdão. Perdoar é parar de responsabilizar alguém pelo que vivemos no passado, retirando dessa pessoa a culpa e o julgamento. É assumir a responsabilidade não pelo que aconteceu, mas pelo que vai ocorrer a partir de agora. Não importa o que fizeram conosco; importa, sim, o que estamos fazendo a respeito do que fizeram conosco.

Cada um faz as melhores escolhas possíveis de acordo com as opções que tem no momento. E o que fazemos é sempre com o desejo de que, no fim, tudo dê certo. Uma pessoa que na infância foi abandonada pelos pais, por exemplo, certamente gostaria que eles tivessem agido de modo diferente. Mas precisa compreender que os pais fizeram o possível de acordo com suas condições e limitações naquele momento. Se a pessoa compreender isso, poderá então refletir sobre a lição que o abandono lhe trouxe e dizer: *Hoje, posso me aceitar na totalidade do que sou. Posso ser inteiro e receber o que a vida me traz de melhor. Não preciso rejeitar a mim mesmo nem rejeitar o amor e as oportunidades de sucesso. Eu vou me amar cada dia mais.* Se tirar da vida essa lição, a pessoa terá um motivo para ser feliz hoje. Passará a gostar de si mesma, a se olhar no espelho e dizer uma palavra de carinho para si própria, a aceitar as coisas boas que a vida tem a lhe oferecer.

Só quando retiramos a culpa dos outros, compreendemos a lição e a pomos em prática, o perdão real se manifesta – não antes disso.

Uma amiga minha viveu uma relação amorosa durante menos de um ano. Apesar de breve, aquele foi um período de intenso sofrimento para ela. Cinco anos depois de tudo ter acabado, ela continuava a odiar o ex-parceiro, ou seja, passou mais tempo sentindo ódio do que amor. Foram necessários cinco anos para que compreendesse a lição que esse relacionamento lhe trouxe. Qual era essa lição?

PARE DE OLHAR PARA FORA, COMO SE AS COISAS IMPORTANTES DA VIDA ESTIVESSEM NO EXTERIOR. OLHE PARA SI MESMA COM AMOR E ACEITAÇÃO. APRENDA A SE RESPEITAR E A SE VALORIZAR DIANTE DOS OUTROS,

ESPECIALMENTE DAQUELES QUE VOCÊ AMA, SEM SE SENTIR DIMINUÍDA. DEIXE O PASSADO NO PASSADO E RENOVE O COMPROMISSO COM AQUILO QUE DESEJA.

Insisto nesse tema porque a gente não se dá conta do quanto é importante perdoar. A mágoa, nos relacionamentos, é como um cupim que rói o coração até não sobrar nada. A gente permanece ao lado da pessoa que mais amou na vida, mas o amor se tornou pó. O perdão traz um comprometimento inadiável com as coisas realmente essenciais e um sentido maior ao ritmo cotidiano da vida. É então que o compromisso com o passado, com a mágoa e o rancor transforma-se no compromisso com a felicidade.

5º PASSO

NEGOCIE O PERCURSO, NÃO O SONHO

O que fazer diante dos obstáculos que se interpõem entre nós e nosso objetivo? O quinto passo nos alerta para a necessidade de ser flexíveis e fazer ajustes de rota quando for preciso, sem, contudo, desistir da realização de nosso sonho.

A água que brota da nascente tem um objetivo bem definido: encontrar-se com o oceano. E, imediatamente, inicia sua trajetória. Ela forma um filete que escorre para um córrego, que se junta a um rio, que corre para o mar. Se em algum ponto encontra um obstáculo, uma barragem, ela se acomoda – mas só temporariamente, porque seu objetivo é correr para o mar. Em seguida transborda, encontra outro caminho ou se evapora e se transforma em chuva, que vai cair em algum lugar, juntar-se a um rio e chegar ao mar.

A GRANDE LIÇÃO QUE A ÁGUA NOS DÁ É:
NEGOCIE A MANEIRA DE CHEGAR
AONDE VOCÊ QUER, MAS NÃO ABRA MÃO
DO SEU OBJETIVO.

O percurso da água é uma metáfora do conceito de flexibilidade. Ela negocia com o meio ambiente os caminhos que vai trilhar para chegar à meta, mas o homem, em vez de mudar a forma de caminhar quando encontra algum obstáculo, acaba por mudar sua meta. Ele passa a aceitar alguma coisa menor que seu sonho. Aceita até situações indignas de vida, de relacionamento, de condição profissional.

O problema do homem não é tanto o tamanho da dificuldade que enfrenta, mas o modo como a enfrenta. Permanecer inflexível diante de um obstáculo, insistindo para que as coisas sigam determinado rumo, é deixar de buscar formas alternativas de viver o que se deseja. Por isso é que eu digo: faça os ajustes necessários para chegar aonde você quer.

Há pais que não percebem o crescimento dos filhos e continuam a tratá-los como bebezinhos – até que, quando se dão conta, os filhos já são adultos e não aceitam ser tratados como crianças irresponsáveis. Então, eles se afastam dos pais. É importante crescer junto com os filhos, vivendo novos conceitos ao lado deles.

Um homem e uma mulher casam-se ainda jovens. Passados vinte anos, eles talvez não tenham a mesma forma física, a mesma disposição para o sexo, os mesmos interesses da época em que se casaram. Se um deles não compreender que a passagem do tempo os transformou e quiser continuar a viver da mesma forma, ficará frustrado. O que significa o compromisso com o amor duradouro? Ajustar-se à realidade do relacionamento, desfrutando a união aos 40, 50, 60 anos. Para viver um amor duradouro, é preciso fazer ajustes que permitam a sobrevivência da relação não porque o parceiro perdeu alguma qualidade, mas porque evoluiu, amadureceu.

FAZER AJUSTES É MANTER A PERCEPÇÃO DA REALIDADE E A CONSCIÊNCIA DO QUE É IMPORTANTE EM CADA MOMENTO.

Com muita freqüência, estabelecemos um objetivo e nos mantemos inflexíveis no movimento que nos levará a ele. Em toda a trajetória delineada ao longo deste livro – resgatar os sonhos, pedir o que se precisa, assumir a condição de criador do próprio destino e comprometer-se com o que se deseja viver –, a flexibilidade para fazer ajustes é fundamental, pois garante que todos esses passos ocorram de forma tranqüila.

Sempre há uma solução

Você pode sentir-se tentado a parar ante um obstáculo e dizer: *Não sei como solucionar esse problema, está acima de minhas possibilidades.* Mas será mesmo tão difícil? O que torna as coisas complicadas é o grau de expectativa que se cria em relação a elas. Difícil é aquilo que a gente nunca fez nem experimentou. Até as coisas que a gente faz com facilidade hoje foram difíceis um dia.

Nunca vi ninguém ficar à vontade ao fazer alguma coisa pela primeira vez – o que também não é motivo para nunca mais repetir a experiência. Se fosse assim, depois do primeiro encontro sexual desastrado (a coisa mais normal do mundo), a gente passaria o resto da vida com receio de fazer sexo de novo ou jamais teria prazer.

Se você achar logo no primeiro momento que a situação é complicada demais, não se dará a chance de encontrar alternativas para solucioná-la. Em vez disso, pergunte-se: *De que outra maneira posso chegar aonde pretendo?* Assim estará assumindo seu potencial criativo.

PARTA DO PRINCÍPIO DE QUE SEMPRE HÁ UMA SOLUÇÃO. TALVEZ LEVE ALGUM TEMPO PARA ENCONTRÁ-LA, MAS ELA EXISTE. FAZENDO ISSO, VOCÊ VIVERÁ A CERTEZA DAS SOLUÇÕES DE TODAS AS DIFICULDADES DE SUA VIDA.

Se encontrar um cachorro bravo no meio da rua, você pode escolher outro caminho, chamar o dono do cachorro para prendê-lo, andar por cima dos muros ou até enfrentar o cachorro. Talvez descubra que ele é um cão que ladra, mas não morde. Em tudo o que a gente faz na vida é preciso ter a consciência de que há mais de um caminho.

O maior obstáculo à criação de alternativas somos nós mesmos e a idéia de que existe uma única forma de vencer as dificuldades. Somos 6 bilhões de seres humanos neste planeta, 6 bilhões de seres completamente diferentes uns dos outros. Alguns milhões são gêmeos na aparência, mas ainda assim diferentes em personalidade, gostos, habilidades. Levando as coisas para essa dimensão, se eu expusesse meu problema diante de cada ser humano encontraria bilhões de formas de resolvê-lo.

Para resolver seu problema, você pode utilizar todos os passos que demos juntos até agora. Vamos supor que uma pessoa acredite que dançar bem é impossível para ela até apaixonar-se por alguém que adora dançar. Resolve, então, enfrentar sua dificuldade porque isso é importante para seu relacionamento. Primeiro, define seu objetivo: aprender a dançar. Depois, pede o que precisa: aulas de dança. Em seguida, assume um compromisso, dispondo-se a freqüentar aulas de dança toda semana, e faz os ajustes necessários para atingir seu objetivo – talvez outro curso.

Às vezes é preciso fazer ajustes no próprio objetivo, pois ele pode estar desatualizado ou aquém do que merecemos. Um profissional cuja empresa passa por transformações, por exemplo. Ele identifica a oportunidade de uma colocação melhor na firma em seis meses e traça um plano para alcançá-la. Define seu propósito (ocupar uma vaga nova), comunica à chefia que pleiteia o cargo, faz os cursos necessários –

enfim, compromete-se firmemente com seu objetivo e toma atitudes coerentes com sua **escolha**. No meio do caminho, recebe um convite para trabalhar em outra empresa. O cargo e o salário oferecidos são melhores que os seus, mas um pouco inferiores aos do posto que pretende **assumir** em breve. O profissional fica tentado a aceitar a oferta, pois essa empresa tem fama de ser um ótimo lugar para trabalhar. Mas, como já se decidira a permanecer fiel a seu objetivo, acaba por recusá-la.

Tempos depois, o profissional está arrependido da escolha que fez. O novo cargo tem muitas funções burocráticas, coisa de que ele não gosta. Em compensação, o emprego que recusou é estimulante e requer criatividade e dinamismo. Isso nos mostra que, ao escolhermos um objetivo, devemos permanecer continuamente atentos aos ajustes necessários. Se o profissional do exemplo tivesse pensado um pouco mais, perceberia que o novo trabalho o tornaria mais feliz.

Pode ocorrer, também, a necessidade de fazer retiradas estratégicas durante o percurso até alcançar nossos objetivos – como faz a água quando é temporariamente barrada. Conheço uma pessoa que sonha tocar violino, um instrumento caro que exige muita dedicação. Ela se comprometeu verdadeiramente com **seu** sonho: comprou o melhor violino que pôde, arranjou um professor particular, conseguiu tempo para estudar. De repente, perdeu o emprego, resolveu mudar de cidade e também de profissão. Foi preciso começar tudo de novo, e nesse **recomeço** ela não encontrou mais tempo para estudar nem dinheiro para continuar com as aulas. Na verdade, precisou também vender o violino para pagar dívidas.

Pode parecer que ela desistiu do sonho, mas não – apenas optou por uma retração temporária. Parar com as aulas e vender o instrumento foram ajustes necessários para superar uma dificuldade momentânea, fortalecer sua estrutura de vida naquele momento e dedicar-se à nova profissão, que era um objetivo mais urgente. Seu foco mudou para criar um espaço de prosperidade que possibilitasse, mais tarde, a retomada do sonho de tocar violino.

Não negocie seu sonho

As retiradas estratégicas são muito comuns na vida das pessoas. São momentos em que nos concedemos o tempo necessário para amadurecer uma decisão, para nos fortalecer. Retração não é estagnação, pois o movimento não cessa. A água que encontra a barragem não pára de se movimentar. Embora pareça calma na superfície, está em busca de um caminho alternativo – ou acumula energia para transpor a barreira.

A estagnação ocorre quando a pessoa acredita ser incapaz de vencer um obstáculo e admite para si mesma: *Esse sonho não é para mim.* Ela se conforma com uma vida aquém daquela que merece, aceitando condições às vezes indignas de seu sonho.

Veja o absurdo que essa crença promove no mundo de hoje, quando os empregos são cada vez mais disputados. Quem cursou apenas o ensino médio com a expectativa de encontrar um trabalho compatível com essa formação já está disputando vagas com pessoas que têm curso superior, pois elas também não conseguem emprego.

Estamos chegando a um ponto em que, para pleitear um trabalho de gari, a pessoa terá de fazer curso de nível superior, pois disputará a vaga com universitários que estão em busca de emprego. Dessa forma, aqueles que se resignaram com a interrupção dos estudos por não se acreditar dignos dos melhores empregos deparam com um espaço cada vez mais restrito de opções. Podem culpar o governo ou a situação econômica, mas, na verdade, seu grande problema foi impor limites a si mesmos julgando que esse sonho não é para eles.

Há pessoas que acreditam que o sonho de viver um grande amor não é para elas e aceitam o primeiro pretendente que se apresenta. Assim pelo menos poderão dizer: *Não estou amando, mas também não estou só.* É nesse ponto que se começa a abrir mão do direito à abundância de amor, de dinheiro, de sucesso. A plenitude vem no momento em que se vive a abundância de sentimentos. Quando há escassez de alegria, de amor e de prazer na vida, parece que esse manancial se fecha para tudo. Se não se fechar para o dinheiro, com certeza se esgotará para a saúde ou o amor.

Se fizermos como a água, que sabe ser flexível para alcançar seu objetivo – mas não abre mão dele –, jamais nos conformaremos com o pensamento de que *Esse sonho não é para mim.* Faz grande diferença, ao deparar com adversidades, afirmar que *Esse sonho é para mim, sim.* E, com isso, fazer os ajustes que nos levarão até ele.

UMA HISTÓRIA DE VIDA: O RECOMEÇO

Conheça a história de Geórgia, que percebeu a grande distância entre o que vivia e o que desejava viver. Num momento de crise, ela teve lucidez para dizer "basta", redescobriu o que era importante e atreveu-se a recomeçar sua trajetória.

Geórgia estava acordada quando uma fraca claridade começou a entrar pelas frestas da janela. *Outro dia frio e nublado,* imaginou. Ela esticou o braço para tocar o pequeno Miguel, encolhido como um gatinho ao seu lado. O menino tivera uma forte crise de asma e só conseguira acalmar-se no meio da madrugada. Ele fazia menos esforço para respirar, mas parecia um pouco febril. A mãe se inquietou: *Queira Deus não seja uma gripe. Vou marcar horário com a pediatra.*

Desde que seu pai saíra de casa, havia dois anos, Miguel tinha crises cada vez mais freqüentes. Geórgia pensava nas dificuldades que o filho enfrentaria naquele inverno, que ainda nem começara e já dava mostras de que seria rigoroso. Não havia nada mais difícil para uma mãe do que sair para trabalhar e deixar o filho doente em casa. E logo naquela manhã, em que tinha uma apresentação de campanha para clientes! O que fazer? Levar o filho ao consultório e adiar a apresentação? Fazer primeiro a apresentação e levar o filho depois? Pedir à avó de Miguel para levá-lo na primeira hora? Essa parecia ser a melhor opção, embora ela não gostasse de abusar da boa vontade de sua mãe.

Com tantas coisas na cabeça, não adiantava mais ficar na cama. Geórgia levantou-se e foi ao quarto da filha, Débora, onde a TV, como de costume, ficara ligada por toda a noite. Foi ao quarto do outro filho, Artur, e arrumou suas cobertas. Depois se esticou no tapete da sala, onde costumava fazer alongamento para despertar o corpo. Sentiu-se lenta e pesada. Como arranjaria energia para a apresentação de logo mais?

Pensar que a publicitária motivada de tempos atrás veria a si mesma, um dia, arriada no chão de sua sala, tentando encontrar ânimo para trabalhar. Adoraria que o tempo se congelasse naquele momento mesmo, ela deitada no tapete, de pijama, aconchegada no calor do apartamento numa gelada manhã de junho. Ultimamente Geórgia vinha se sentindo cada vez mais cansada. Dar a assistência de que os filhos necessitavam, gerenciar o funcionamento da casa e cumprir a exigente rotina de trabalho eram tarefas que pareciam inconciliáveis. Dar conta de tudo era como guarnecer a mesa com uma toalha pequena: quando tentava cobrir completamente um dos lados, os outros ficavam descobertos.

Alguns anos antes, as coisas eram mais fáceis. Como *freelancer* de uma pequena agência de publicidade, tinha um horário flexível que lhe permitia acompanhar de perto a rotina dos filhos e da casa. O casamento com Orlando era feliz e harmonioso. Geórgia, enfim, sentia-se realizada como mãe e como esposa, faltando apenas realizar-se como profissional de uma grande agência de publicidade.

Um dia surgiu uma oportunidade irresistível: trabalhar numa agência famosa, ao lado de grandes nomes da área. Os desafios seriam maiores, e a carga de trabalho, mais puxada. Mas poderia ser o impulso que desejava para sua carreira. Era a chance de tornar-se uma profissional bem-sucedida, talvez até premiada.

Logo que começou no novo emprego, Geórgia percebeu o ambiente extremamente competitivo do lugar, o que a deixava tensa e vigilante o tempo todo. Se ela não tivesse adotado uma postura tão defensiva, com certeza encontraria ali pessoas com quem poderia ter afinidades. Preferiu, porém, isolar-se e contar apenas consigo mesma. Disposta a mostrar seu valor, empenhava-se no trabalho e mantinha um relacionamento superficial com os colegas. Com esforço e determinação, conseguiu superar a preocupação de não dar conta do desafio, aprendeu a lidar com o temperamento do chefe, que considerava um homem exigente e de humor imprevisível, e assim foi conquistando seu espaço.

No entanto, o custo pessoal que pagava por agir daquele modo não era pequeno. Com certa freqüência, precisava ficar até mais tarde na agência, concluindo algum trabalho. Começou a surgir uma incômoda sensação de estar em falta com a família, uma pontinha de culpa que fazia Geórgia sentir-se na obrigação de manter total controle sobre o que acontecia em casa e desdobrar-se em atenções para com os filhos.

Ao vê-la tão envolvida com o trabalho – e totalmente dedicada às crianças e aos assuntos domésticos quando estava em casa –, o marido começou a sentir-se preterido. *Ela não me dá a mesma atenção de antes,* pensava Orlando, chateado.

Geórgia sentia-se sobrecarregada e precisava da ajuda do marido, mas não sabia pedi-la. Orlando gostaria que a esposa deixasse de se preocupar com tantas coisas e desse mais atenção a ele, mas não dizia nada. Em vez de pedir o que queriam um do outro, marido e mulher só falavam do que lhes desagradava: de um lado, *Você não faz nada para me ajudar*; do outro, *Isso aqui parece um quartel, e você, uma general.* As discussões tornaram-se freqüentes e os ressentimentos cresciam. Um dia ela disse: *Não preciso de você para nada.* E ele respondeu: *Então, vou embora.*

Sem o marido, a vida se transformara numa batalha, e ela se sentia derrotada naquela manhã de junho. Mas os ruídos da empregada na cozinha afastaram esses pensamentos. Era hora de começar o dia.

Geórgia acordou Débora e Artur, que iam à escola, deu remédio a Miguel, tomou café, vestiu-se, ligou para a mãe, recitou uma lista de instruções para a empregada e saiu de casa já falando pelo celular, acertando os detalhes da reunião com os clientes.

Horas mais tarde, ela internava Miguel no hospital. O filho tivera outra crise de asma extremamente severa e estava com muita febre. Arrasada, Geórgia ouvia o médico enquanto seu pequenino recebia atendimento numa semi-UTI.

Com quantos anos o Miguel está?, ele perguntou.

Cinco, respondeu Geórgia.

Ele é mesmo miudinho. Nasceu prematuro?

Geórgia confirmou com a cabeça. O médico quis saber tudo sobre Miguel: gestação, primeiros meses de vida, rotina, alimentação, histórico de crises e comportamento emocional. Depois fez inúmeras perguntas sobre a vida da mãe. A cada resposta de Geórgia, ele erguia as sobrancelhas, como se ouvisse a confirmação de suas suspeitas.

Bem, disse ele, encerrando o interrogatório. *Miguel parece ser uma criança muito sensível, não é?*

Sim, doutor, física e emocionalmente, respondeu Geórgia.

Parece que seu filho se sente frágil e vulnerável, explicou o médico. *Inconscientemente, acredita que precisa da proteção constante dos pais para viver. A asma, em parte, é conseqüência disso. A senhora compreende?*

Sim, doutor. O que o senhor está dizendo é o mesmo que a pediatra dele me disse certa vez.

Em alguns pacientes, as crises asmáticas surgem em fases de muito estresse. O que, segundo sua opinião, pode ter estressado seu filho nos últimos dias?, quis saber o médico.

Geórgia pensou um pouco e respondeu:

Eu estive trabalhando muito numa campanha e cheguei tarde em casa algumas vezes. Sei que Miguel fica ansioso quando demoro a chegar. Pode ter sido isso.

Acho que o melhor a fazer agora é tirar férias e passar pelo menos vinte dias com Miguel num local que tenha ar puro e clima mais quente, aconselhou o médico. *Sair da poluição e do frio desta cidade será decisivo para a recuperação dele. Além do mais, sua presença fará o menino sentir-se mais seguro e amparado.*

Quanto tempo ele ficará internado, doutor?, perguntou Geórgia.

Acredito que cinco dias. Felizmente, a broncopneumonia foi logo diagnosticada. As chances de Miguel são muito boas.

O modo como o médico falou fez gelar o coração de Geórgia. Miguel, de fato, corria algum risco de vida. Ela sentiu-se aflita como cinco anos antes, quando vira o filho numa incubadora, respirando com a ajuda de aparelhos. Mas se ele saísse de lá recuperado, prometia Geórgia, não poderia ser para levar o mesmo tipo de vida.

Felizmente Miguel teve alta no tempo previsto. Seguindo a recomendação do médico, Geórgia tirou férias para levar o menino à casa de parentes no interior. Débora e Artur ficariam com os avós até o fim do mês, para terminar as provas na escola, e depois se juntariam a eles. Saindo do hospital, mãe e filho rumaram diretamente para a estrada. Conforme Geórgia se afastava da cidade grande, sentia-se cada vez mais aliviada por deixar para trás sua rotina agitada. Que susto havia passado!

No final da viagem, Miguel acordou e animou-se com o cenário verde e azul do campo. *A tia Elisa mora numa casa como aquela lá no morro? Tem vaca no quintal dela? Posso andar a cavalo?*, perguntava ele. Satisfeita, Geórgia percebeu que aquelas férias fariam um tremendo bem aos dois.

A chegada à casa dos tios foi uma festa. Abraços, lembranças, elogios e risos, tudo se misturava na euforia do reencontro. Miguel, levado no colo pelo tio Luís, foi logo explorar o quintal cheio de árvores, onde uma cadela veio saudá-lo com seus filhotes. Geórgia, ao percorrer os cômodos da casa, foi reconhecendo os móveis, os quadros, os objetos que lhe eram tão familiares. Quando criança, passava sempre as férias ali.

À tarde, primos que ela não encontrava havia muitos anos vieram visitá-la. Vizinhos que a tinham visto crescer apareceram para dar as boas-vindas. Havia muito tempo que Geórgia não ria nem se divertia tanto. Sentia-se calorosamente acolhida. Era bom estar de volta.

No final daquele dia agitado, Elisa chamou a sobrinha para tomar uma caneca de chocolate quente na cozinha.

Estou muito contente por voltar aqui depois de tanto tempo, disse Geórgia. *Obrigada por nos receber, tia. Esta temporada vai fazer muito bem para todos nós.*

Eu também estou contente com sua visita. Há quanto tempo não nos víamos. Acho que a última vez que nos encontramos foi quando Miguel nasceu. Nessa época, você não tinha esse vinco entre as sobrancelhas. Tem andado preocupada, filha?

Geórgia sentiu o convite para um desabafo.

Ah, tia, não estou satisfeita com a vida que levo. Parece que, em algum ponto do caminho, eu me distraí e tomei o rumo errado. Queria realizar-me como esposa, mãe e profissional, mas veja só aonde cheguei!

Começou a chorar, mas continuou:

Fracassei como esposa e não fui capaz de manter um casamento que era feliz no início. Estou em falta com meus filhos. Pouco sei dos amigos deles, do que aprendem na escola ou vêem na televisão. Procuro providenciar tudo para manter seu bem-estar, mas não tenho sido a mãe companheira que gostaria de ser. Como profissional, estou onde achei que queria estar, faço o melhor possível, mas não sou feliz.

O que há de errado com o trabalho? Achei que você gostasse dele, perguntou Elisa.

O problema não é o que faço, mas como faço. A agência tem um ambiente competitivo. Muitas vezes gostaria de compartilhar os problemas do trabalho com os colegas, mas fico com receio de parecer insegura. Na verdade, acabo por não confiar muito neles. Aquilo que eu poderia fazer com alegria e leveza tornou-se um grande esforço. Estou cansada, cansada de tudo isso!

Elisa fez uma expressão de surpresa, sem entender por que coisas tão simples teriam de se transformar em pesadelos. Com sua sabedoria sexagenária, perguntou:

Se você não se sente feliz com esse trabalho, e ele parece estar complicando sua vida, por que simplesmente não o deixa?

E viver de que, tia? Não é fácil arranjar emprego, ainda mais um cargo como o meu. Sou separada e tenho três filhos para sustentar. Não posso me dar ao luxo de ficar sem trabalho.

Bem, minha querida, eu não tenho seu grau de instrução e você pode até me achar uma pessoa limitada. Mas isso não me impede de perceber que seu problema é exigir demais de si mesma. Não é só no trabalho que você procura resolver tudo sozinha, mas em todas as áreas da vida. Será que realmente alguém é feliz sem contar com o apoio dos outros? Será que alguém consegue ser auto-suficiente em tudo?

Eu não acho você uma pessoa limitada, tia, e respeito muito sua sabedoria de vida. Mas não estou entendendo aonde quer chegar.

Só gostaria que entendesse que não precisa carregar o mundo nas costas. Em vez de fazer tudo, descubra o que é mais importante para você. Olhe em volta e perceba a presença de pessoas que a amam pelo que você é, não pelo que faz. Eu sou uma dessas pessoas, filha. Sempre que precisar de mim, estarei ao seu lado.

As palavras de Elisa causaram grande impacto na sobrinha. Haveria ainda muitas outras conversas noturnas na cozinha da tia, entre goles de chocolate quente, que ajudariam Geórgia a encontrar soluções para sua vida.

Os dias passavam tranqüilos e Miguel recuperava-se visivelmente. Ele já fizera amiguinhos na vizinhança e passava horas brincando sob o sol da tarde. Demonstrava uma disposição impressionante para quem estivera hospitalizado havia pouco, percorrendo o quintal de ponta a ponta montado num carrinho de rolimã feito por tio Luís.

Certa tarde, mãe e filho descansavam deitados sobre um cobertor estendido no gramado. Miguel então falou:

Mamãe, a gente pode ficar morando aqui?

Morar aqui?

Aqui é bom porque eu posso brincar na rua. Você está comigo, e tenho amigos legais. Só falta a Débora e o Artur chegarem, mas eu já estou feliz aqui, mamãe.

Miguel sorria com uma espontaneidade que comoveu a mãe. Ela olhou seu rostinho miúdo, que começava a mostrar um rubor de saúde, e abraçou-o ternamente.

Por que você está chorando, mamãe?

Naquele momento, Geórgia teve muita clareza do que era importante para o filho. Mais que o estudo numa escola de primeira linha, mais que todos os brinquedos que o dinheiro pudesse comprar, mais que o conforto e a segurança de um bom apartamento, era a sensação de estar amparado pela família e de ter espaço para crescer com liberdade que fazia diferença para Miguel. Ela respondeu:

Não se preocupe, não estou chorando de tristeza. Estou feliz também, como você.

Por que as pessoas grandes choram quando estão felizes? Eu não tenho vontade de chorar. Tenho vontade de sair pulando!

Talvez seja porque, às vezes, as pessoas grandes se esquecem do que as faz felizes. Então, quando se lembram, elas choram.

Começava a ficar evidente, para ela, que a vida lhe dava uma oportunidade de mudança. Voltar para a casa da tia era como retornar ao passado e reencontrar a menina feliz, cheia de sonhos e planos que ela fora. Quem sabe, nessa retrospectiva, pudesse perceber em que ponto se desviara do propósito de ser uma mulher realizada – como mãe, esposa e profissional.

Atraída pelo barulho de uma serra, Geórgia foi à oficina do tio, nos fundos da casa. Ao entrar, ficou admirada com a quantidade de equipamentos que encontrou.

Nossa, tio, por que o senhor guarda tantas máquinas aqui?

Vieram de minha antiga marcenaria. Não quis desfazer-me delas, explicou Luís.

Até hoje não sei por que o senhor teve de fechar a marcenaria. Ela era sua paixão.

O tio desligou a serra e passou a lixar cuidadosamente o pedaço de madeira que acabara de cortar. Estava montando uma pequena cabana para Miguel.

Com a morte de meu sócio, a família dele ficou em dificuldades e precisou vender sua parte no negócio. Fiquei muito desgostoso com a perda de um velho amigo e, além disso, não sabia fazer o trabalho dele, que era atender clientes e criar projetos. Meu negócio sempre foi trabalhar na montagem, você sabe. Então vendemos o imóvel, indenizamos os funcionários e fechamos a firma.

Geórgia lembrava-se dos lindos armários embutidos e dos móveis que saíam da marcenaria do tio. Quando criança, gostava de sentar-se diante da prancheta do escritório para desenhar quartos de boneca. O tio chegou até a executar um desses projetos, que se tornou um dos brinquedos preferidos da sobrinha.

Pois é. O que eu não imaginava é que sentiria tanta falta do trabalho. Esta vida de aposentado não é para mim. Estou entediado por não ter nada para fazer.

Por que o senhor não reabriu a marcenaria, então?

Porque sou um velho tolo.

Que nada, tio. O senhor tem quantos anos, 65? Com essa vida pacata que leva aqui, vai viver até os 90. É bom arranjar uma ocupação ou passará um terço da vida entediado, brincou a sobrinha. *E, se o senhor precisa de projetos, vou agora mesmo desenhar um. Faz tempo que quero um baú para guardar cobertores no pé da cama. Espere que já volto com papel e lápis.*

Passou-se um mês. Era hora de Geórgia retornar ao trabalho. Como as férias escolares ainda não haviam acabado, ela deixou os filhos com os tios e voltou sozinha à capital. Logo no dia seguinte à sua chegada, marcou um jantar com o ex-marido.

No restaurante, os dois cumprimentaram-se meio constrangidos, pois era a primeira vez que se encontravam a sós desde a separação. Depois de pedir um aperitivo, deram início à conversa. Orlando perguntou pelas crianças.

Estão ótimas. Miguel não teve nenhuma crise de asma desde que chegou lá. Está corado e até engordou. Parece outro menino. Débora e Artur estão se divertindo bastante. Já fizeram amizades e passam o tempo todo de lá para cá, cada dia na casa de um dos novos amigos.

Que bom! Quando você me ligou para marcar este encontro, fiquei até preocupado. Achei que havia algum problema com as crianças.

De certa forma, foi mesmo por causa delas que eu liguei. Tomei decisões que mudarão a vida de todos nós e preciso dividir isso com você.

Meu Deus, Geórgia, diga logo do que se trata!

Bem, estou deixando a agência. Pedi demissão ontem.

Orlando ficou pasmo:

Mas por que você fez isso? Pensei que estivesse bem lá.

Na verdade, eu não estava bem. Trabalhava muito e me sentia culpada por não passar mais tempo com as crianças. Andava exausta com a correria, mas achava indispensável continuar remando para manter toda aquela estrutura que criamos para elas. Então, quando Miguel ficou doente, percebi que não acompanhava a vida das crianças como gostaria. Vi que me desviara do que é mais importante para elas e para mim. Por isso, resolvi parar com tudo. Estou saindo da agência e também me mudando para a cidade dos meus tios, onde nossos filhos poderão ter mais qualidade de vida.

Orlando estava surpreso. Aquela mulher não parecia sua ex-esposa. Quando poderia imaginar que ela, sempre tão urbana e dedicada à carreira, abriria mão de tudo para morar no interior?

O que as crianças acham disso?, perguntou.

Miguel e Artur adoraram a idéia. Débora, talvez por causa dos conflitos de adolescente, ora aprova a mudança, ora acha que não vai se adaptar. Mas nós discutimos todas as questões e tomamos juntos a decisão.

Você não acha que tudo isso está acontecendo depressa demais? Será que não está agindo de maneira precipitada?, questionou Orlando.

Sei que é tudo muito súbito e surpreendente, mas a oportunidade de mudar de vida surgiu agora e deve ser aproveitada. Se eu pensar muito, talvez desista. Muitas vezes fui apenas racional e ignorei meus sentimentos, mas agora estou disposta a agir de acordo com o que sinto.

E você já pensou em que vai trabalhar?

Sim. Convenci meu tio a reabrir a marcenaria. Vou cuidar do atendimento aos clientes e dos projetos, e ele vai tocar a produção.

Orlando fez outra cara de espanto. Por que Geórgia trabalharia numa área tão diferente da publicidade, com a qual se identificava tanto?

Tenho de me ajustar à realidade da cidade em que escolhi viver, explicou Geórgia. *Ali não há campo de trabalho para uma publicitária. Na verdade, estou curtindo a idéia de ser designer de móveis, que é também um trabalho criativo e me põe em contato com as pessoas.*

Animada, ela contou em detalhes como havia planejado cada etapa de sua mudança de vida. Orlando estava atônito com essa nova postura, mas percebia que a habilidade executiva da ex-esposa continuava a mesma.

Há mais uma coisa, disse ela. *Vou precisar de sua ajuda financeira para pagar a escola das crianças. Você concorda?*

Mas é claro, Geórgia! Como poderia negar-me a fazer alguma coisa pelas crianças? É uma grande satisfação para mim, disse Orlando. Ao ouvir um pedido de ajuda de sua auto-suficiente ex-esposa, percebeu que ela não estava mudando, já havia mudado. Passou por sua cabeça que, se essa mudança tivesse ocorrido antes, talvez não estivessem separados.

Geórgia, eu quero que você saiba que tem meu total apoio em seus novos planos. Estou meio tonto com tantas novidades, mas reconheço que sua decisão é muito coerente. Parabéns!

Ela corou com o elogio do ex-marido. Por um instante, também sentiu que, se sua atitude tivesse mudado antes, talvez ainda estivessem juntos.

Eu me sinto na obrigação de pedir desculpas pelo sofrimento que lhe causei, disse Geórgia. *Reconheço que meu maior erro foi deixar de compartilhar as coisas com você. Eu não admitia precisar de ajuda e não fui capaz de pedi-la. Em vez disso, só lhe fiz cobranças. Pode me perdoar?*

Eu também preciso lhe pedir desculpas por não reconhecer o esforço que você fazia para conciliar o trabalho, o cuidado com as crianças e a manutenção da casa, retribuiu Orlando.

Naquele momento, anos de brigas e ressentimentos pareciam insignificantes diante de poucos minutos de conversa franca. Geórgia e Orlando trocaram idéias durante todo o jantar. Ao se despedir, ela fez um convite:

Venha ver as crianças. Elas estão com muita saudade de você.

Vou logo que puder. A cidade tem algum hotel onde eu possa me hospedar?

Tem, sim, mas você pode ficar conosco se quiser. A casa que estamos alugando tem um quarto de hóspedes nos fundos.

Dou notícias, prometeu Orlando. *Até breve, então.*

Até breve.

Cada um tomou seu caminho. Quem sabe, um dia, esses caminhos voltem a se cruzar...

*****

Na trajetória que nos transformará em criadores de nosso destino, sugerimos cinco passos, que foram abordados neste livro. Primeiro passo: resgatar nossos sonhos. Segundo: tomar atitudes essenciais para a realização de nosso projeto de vida. Terceiro: assumir a condição de criadores do nosso destino. Quarto: comprometer-nos com o que queremos viver. Quinto: negociar o percurso, não o sonho.

Cada momento nos traz a oportunidade de aplicar os cinco passos às situações que vivemos. Não é preciso esperar por uma grande crise para fazer uma reflexão sobre o que nos dá prazer, sobre nossos objetivos, sobre aquilo que podemos e merecemos obter. Não é preciso que a vida esteja de pernas para o ar para fazer essa mudança, simplesmente porque as transformações não têm de acontecer necessariamente pela via da dor – e, sim, pelo caminho do amor.

VOCÊ É O
CRIADOR
DO SEU
DESTINO

Lembro-me do dia em que meu mestre hindu, Punjaji, disse ter uma decisão muito importante para tomar todos os dias, logo que despertava.

Que decisão é essa?, perguntamos nós, seus discípulos, sentados sobre almofadas em seu redor.

Todos os dias, eu decido ser feliz, explicou o mestre.

Mas e se alguma coisa desagradável acontecer durante o dia?, quisemos saber.

Se acontecer alguma coisa que me convide a ser infeliz, eu me recordo da decisão que tomei pela manhã e renovo o compromisso de ser feliz naquele dia, respondeu Punjaji.

Todos os dias temos um compromisso a assumir com a felicidade e a realização. Se deixarmos de adiar nossos sonhos ou de justificar sua não realização e dermos mais importância à alegria e ao amor, com certeza tornaremos nosso propósito de vida uma realidade.

É hora de viver em plenitude. Lembre-se: não há obstáculos intransponíveis. Há, isso sim, diversos caminhos. Entre o caminho da razão e o do coração, escolha o caminho do meio, o caminho do equilíbrio. As coisas não precisam ser nem pesadas nem leves, nem certas nem erradas, nem boas nem más – e sim apenas equilibradas, sem extremos, sem conflitos.

Desde sempre, a Força Criadora tem evoluído e nos convidado a partilhar sua idéia de grandiosidade. Quando você está em sintonia com Deus, assume a responsabilidade de dar continuidade à obra-prima Dele, recriando a si mesmo e à própria vida. A existência não faz criaturas, mas criadores, o que todos nós somos. Criamos nosso destino, nossa realidade de abundância ou de escassez. Todos podemos criar e recriar livremente. Esse é o maior dom que temos no grande jogo da vida.

Quando você se torna consciente disso, entra num movimento contínuo de recriação, de reinvenção de si mesmo e da própria vida, tornando-a cada vez mais grandiosa. Você é muito mais do que pensa que é. Você pode ir além porque é co-criador (com Deus) da própria vida.

Você tem todo o universo para se expandir. Não está aqui de favor. Você é o dono de sua existência. Para onde quer que olhe, aonde quer que se dirija, tudo o que encontra é seu. Faz parte de você. Permita que o universo se beneficie de sua existência, de sua luz.

Você tem seus pincéis e suas tintas.
Pinte o paraíso e depois entre.

Osho

Contatos com o autor
edu@edushin.com.br
www.edushin.com.br
www.creser.com.br

Este livro foi impresso pela Paulus Gráfica
em papel *offset* 90 g.